D0290278

SV

Band 84 der Bibliothek Suhrkamp

Wolfgang Hildesheimer

Lieblose Legenden

Suhrkamp Verlag

24.–29. Tausend 1968
Überarbeitete und erweiterte Ausgabe des 1952 erschienenen Bandes. Printed in Germany. Satz und Druck in Linotype Garamond von Buchdruckerei Georg Wagner, Nördlingen. Buchbindearbeiten von Hans Klotz, Augsburg

Lieblose Legenden

Das Ende einer Welt

Die letzte Abendgesellschaft der Marchesa Montetristo hat mir einen bleibenden Eindruck hinterlassen. Zu diesem Eindruck hat natürlicherweise auch der seltsame, beinahe einmalige Abschluß beigetragen. Schon dieser allein war ein Ereignis, das man nicht leicht vergißt. Wahrhaftig, es war ein denkwürdiger Abend.

Meine Bekanntschaft mit der Marchesa – einer geborenen Watermann aus Little Gidding, Ohio – beruhte auf einem Zufall. Ich hatte ihr durch Vermittlung meines Freundes, Herrn von Perlhuhn (des Abraham-a-Santa-Clara-Forschers, *nicht* des Neo-Mystikers), die Badewanne verkauft, in welcher Marat ermordet wurde, die sich – was vielleicht nicht allgemein bekannt ist – bis dahin in meinem Besitz befunden hatte. Spielschulden hatten mich gezwungen, einige Stücke meiner Kollektion zu veräußern. Ich geriet also, wie gesagt, an die Marchesa, die für ihre Sammlung von Waschutensilien des achtzehnten Jahrhunderts gerade dieses Gerät schon lange gesucht hatte. Wir trafen uns zum Tee, einigten uns nach kurzem, höflichem Handeln über den Preis der Wanne, und dann geriet unser Gespräch in die Bahn solcher Themen, wie Sammler und Kenner sie vielfach gemeinsam haben. Ich bemerkte, daß ich durch den Besitz dieses Sammlerstückes in ihren Augen ein gewisses

Prestige gewonnen hatte, und war daher nicht erstaunt, als ich eines Tages zu einer ihrer berühmten Gesellschaften in ihrem Palazzo auf der künstlichen Insel San Amerigo geladen wurde.
Die Insel hatte sich die Marchesa einige Kilometer südöstlich von Murano aufschütten lassen, einer plötzlichen Eingebung folgend, denn sie verabscheute das Festland – sie sagte, es sei ihrem seelischen Gleichgewicht schädlich – und unter dem bereits vorhandenen Bestand an Inseln hatte sie keine Wahl treffen können, zumal da der Gedanke, sie mit jemandem teilen zu müssen, ihr unerträglich war. Hier nun residierte sie und widmete ihr Leben der Erhaltung des Altbewährten und der Erweckung des Vergessenen oder, wie sie es auszudrücken beliebte, der Pflege des Echten und Bleibenden.
Auf der Einladungskarte war die Gesellschaft um acht Uhr angesetzt, aber die Gäste wurden nicht vor zehn Uhr erwartet. Überdies erforderte es die Sitte, daß man in Gondeln kam. Auf diese Weise dauerte die Überfahrt zwar beinahe zwei Stunden, war zudem bei bewegtem Seegang beschwerlich, wenn nicht gar gefährlich – und in der Tat hatte schon mancher Gast sein Ziel nicht erreicht, dafür ein Seemannsgrab gefunden – aber nur ein Barbar hätte an diesen ungeschriebenen Stilregeln gerüttelt, und Barbaren wurden niemals eingeladen. Ein Kandidat, dessen allgemeiner Habitus auch nur die geringste Scheu vor den Tücken einer solchen Überfahrt verraten hätte, wäre niemals in die Gästeliste aufgenommen worden. Es erübrigt sich zu sagen, daß sich die Marchesa in mir nicht getäuscht hatte, – wenn ich auch, am Ende des Abends, in ihren Augen versagt haben

mag. Diese Enttäuschung indessen hat sie nur um wenige Minuten überlebt, und das tröstet mich.
Den Prunk des Gebäudes brauche ich nicht zu schildern; denn außen war es eine genaue Replika des Palazzo Vendramin, und innen waren sämtliche Stilepochen von der Gotik an vertreten, aber natürlich nicht verwoben; eine jede hatte ihren eigenen Raum; des Stilbruchs konnte man die Marchesa wahrhaftig nicht beschuldigen. Auch der Luxus der Bewirtung sei hier nicht erwähnt: wer jemals an einem Staatsbankett in einer Monarchie teilgenommen hat – und an solche wende ich mich ja in der Hauptsache – weiß, wie es zuging. Zudem ist es wohl kaum im Sinne der Marchesa und ihres Kreises, bei schwelgerischer Erinnerung kulinarischer Genüsse zu verweilen, vor allem hier, wo es gilt, die letzten Stunden einiger illustrer Köpfe des Jahrhunderts zu beschreiben, deren Zeuge zu sein ich, als einzig Überlebender, das Glück hatte, ein Glück, welches mir aber auch eine gewisse Verpflichtung auferlegt.
Nachdem ich mit der Gastgeberin einige Höflichkeiten getauscht und ihre Meute langhaariger Pekinesen gestreichelt hatte, die niemals von ihrer Seite wich, wurde ich der Dombrowska vorgestellt, einer der wirklich großen Doppelbegabungen ihrer Zeit. Denn nicht nur darf die Dombrowska als die wahre Erneuerin des rhythmischen Ausdruckstanzes gelten, einer Kunstgattung, die unter ihren Füßen zu einem mystischen Vollzug wurde, die aber leider mit ihr so gut wie ausgestorben ist (ich erinnere an Basiliewkys Wort: »Es gibt keinen Tanz, es gibt nur Tänzer!«), sondern sie war auch die Verfasserin des Buches »Zurück zur Jugend«, welches, wie der

Titel schon besagt, sich für die Rückkehr zum Jugendstil einsetzt und inzwischen – das brauche ich wohl kaum zu erwähnen – in weiten Kreisen Schule gemacht hat. Während wir miteinander plauderten, kam ein älterer, hochaufgerichteter Herr auf uns zu. Ich erkannte ihn sogleich an seinem Profil: es war Golch. *Der* Golch. (Wer er ist, weiß jedermann: sein Beitrag zum geistigen Bestand ist beglückendes Allgemeingut geworden.) Die Dombrowska stellte mich vor: »Herr Sebald, der ehemalige Besitzer von Marats Badewanne.« Es hatte sich herumgesprochen.

»Aha«, sagte Golch, wobei er mit der letzten Silbe dieses Ausrufs ein leichtes Glissando nach oben vollführte, dem ich wohl entnehmen durfte, daß er mich als Nachwuchs für die Elite der Kulturträger in Betracht zog, obgleich es wohl noch manche Prüfung zu bestehen gäbe. Ich hakte sofort ein, indem ich ihn fragte, wie ihm die Ausstellung zeitgenössischer Malerei im Luxembourg gefallen habe. Golch hob die Augen, als suche er ein Wort im Raum und sagte: »Passé.« (Er gebrauchte die damals übliche englische Betonung des Wortes. Auch die Wörter »cliché« und »pastiche« wurden damals englisch ausgesprochen. Wie man es jetzt tut, weiß ich nicht, und es scheint mir auch nicht wichtig zu sein. Denn schließlich war in diesen Dingen die Insel der Marchesa tonangebend. Sie ist versunken und hat die Richtlinien mit sich gezogen.) »Passé«, sagte er, und ich pflichtete ihm bei, hätte es – daß ich es gestehe! – auch dann getan, wenn seine Äußerung gegenteilig ausgefallen wäre, denn es war immerhin Golch, dem ich da gegenüberstand.

Nun ging man zum Büffet. Hier stieß ich auf Signora Sgambati, die Astrologin, deren Theorie, daß aus den Sternen nicht nur das Schicksal des einzelnen ersichtlich ist, sondern ganze kulturgeschichtliche Strömungen abgelesen werden können, vor einiger Zeit großes Aufsehen erregt hatte. Zwar war die von ihr vorausgesagte Strömung noch nicht eingetroffen, doch bildeten sich - wie ihre große Gefolgschaft behauptete – schon hier und dort kleine Strudel, die als Symptomzellen zu betrachten seien. Sie war keine Alltagserscheinung, diese Sgambati, man sah es ihr an. Dennoch ist es mir unbegreiflich, daß sie, unter den Umständen, in der Sternkonstellation nicht den drohenden Untergang einiger wesentlicher Mitglieder der Geisteswelt, Urheber eben ihrer Strömung, gesehen hatte. Sie war in ein Gespräch mit Professor Kuntz-Sartori vertieft, dem Politiker und Verfechter der royalistischen Idee, der seit Jahrzehnten versuchte, in der Schweiz eine Monarchie einzuführen, wobei er freilich auf erheblichen Widerstand von seiten der Eidgenossenschaft stieß. Ein markanter Kopf!

Nachdem man eine Erfrischung in Form von Champagner und deliziösen Krustazeen zu sich genommen hatte, begab man sich in den Silbersaal, denn nun kam der Höhepunkt des Abends, eine Darbietung besonderer Art: die Erstaufführung zweier Flötensonaten des Antonio Giambattista Bloch, eines Zeitgenossen und Freundes Rameaus, den der Musikforscher Weltli – er war natürlich auch zugegen – entdeckt hatte. Sie wurden gespielt von dem Flötisten Béranger (jawohl, ein Nachkomme) und von der Marchesa selbst begleitet, und zwar auf dem Cembalo, auf welchem schon Célestine

Rameau ihrem Sohn die Grundprinzipien des Kontrapunktes erläutert hatte (die er allerdings sein Leben lang nicht recht begriffen haben soll) und welches man aus Paris hatte kommen lassen. Auch die Flöte hatte ihre Geschichte, aber ich habe sie vergessen. Die beiden Interpreten hatten zu dieser Gelegenheit Rokokokleidung angelegt, und das kleine Ensemble glich – sie hatten sich absichtlich so angeordnet – einem Watteau-Gemälde. Die Darbietung fand selbstverständlich bei gedämpftem Kerzenschein statt. Es war keiner zugegen, der für eine solche Gelegenheit elektrisches Licht nicht als unerträglich empfunden hätte. Eine weitere feinfühlige Laune der Marchesa hatte es verlangt, daß man nach der ersten Sonate (D-Dur) vom Silbersaal (Barock) in den goldenen Saal (Frührokoko) hinüberwechselte, um dort die zweite Sonate (f-moll) zu genießen. Denn jener Saal hatte eine Dur-Tönung, dieser aber war – und das hätte wahrlich niemand bestritten – Moll.

Hier muß ich nun allerdings sagen, daß die öde Eleganz, die den Flötensonaten zweitklassiger und vor allem neuentdeckter Meister dieser Periode anhaftet, sich in diesem Falle damit erklärt, daß Antonio Giambattista Bloch niemals gelebt hat, die hier aufgeführten Werke also aus der Feder des Forschers Weltli stammen. Obgleich sich dieser Umstand erst viel später herausgestellt hat, kann ich nicht umhin, es nachträglich als ein wenig entwürdigend für die Marchesa zu empfinden, daß sie ihre letzten Minuten mit der – allerdings meisterhaften – Interpretation einer Fälschung verbracht hat.

Während des zweiten Satzes der f-moll-Sonate sah ich eine Ratte an der Wand entlang huschen. Das erstaunte mich. Zuerst dachte ich, das Flötenspiel habe sie angelockt, denn Ratten sind bekanntlich sehr musikalisch, aber sie huschte in der entgegengesetzten Richtung, floh also die Musik. Ihr folgte eine zweite. Ich sah auf die anderen Gäste. Sie hatten nichts bemerkt, zumal die meisten die Augen geschlossen hielten, um sich in seliger Entspannung den Klängen der Weltlischen Fälschung hingeben zu können. Nun vernahm ich ein dumpfes Rollen, es klang wie sehr fernes Donnern. Der Fußboden vibrierte. Wieder sah ich auf die Gäste. Wenn sie etwas hörten – und irgend etwas mußten wohl auch sie wahrnehmen – war es aus den Posen beinahe formloser Versunkenheit jedenfalls nicht ersichtlich. Mich aber beunruhigten diese merkwürdigen Symptome.

Ein Diener trat leise ein. Daß er in der vornehmen, streng geschnürten Livree, die das gesamte Personal der Marchesa trug, wie eine Nebenrolle aus »Tosca« aussah, gehört nicht hierher. Auf Zehenspitzen hüpfte er auf die Vortragenden zu und flüsterte der Marchesa etwas ins Ohr. Ich sah sie erblassen – es war recht kleidsam im matten Kerzenlicht, und beinahe hätte man denken mögen, es sei in das Zeremoniell liebevoll eingeplant – aber sie faßte sich und führte gelassen das Andante zu Ende, ohne ihr Spiel zu unterbrechen, schien sogar die Endfermate noch um einiges zu verlängern. Dann gab sie dem Flötisten einen Wink, stand auf und wandte sich an die Zuhörer.

»Meine verehrten Gäste«, sagte sie, »wie ich soeben erfahre, lösen sich die Fundamente der Insel und damit des Palastes. Die Meerestiefbaubehörden sind benachrichtigt. Ich glaube jedoch, daß es in unser aller Sinne ist, wenn wir mit der Musik fortfahren.« Ihre würdevollen Worte wurden von lautlosen Gesten der Zustimmung belohnt.

Sie setzte sich wieder hin, gab Monsieur Béranger das Zeichen, und nun spielten sie das Allegro con brio, den letzten Satz, der mir, obgleich ich damals noch nicht wußte, daß es sich um eine Fälschung handle, der Einmaligkeit der Situation nur wenig gerecht zu werden schien.

Auf dem Parkett bildeten sich kleine Pfützen. Das Rollen hatte zugenommen und klang näher. Die meisten Gäste hatten sich inzwischen aufgerichtet, und mit ihren bei Kerzenbeleuchtung aschfahlen Gesichtern saßen sie wie in geduldiger Erwartung eines Bildners, der sie in Posen letzter, euphorischer Fassung für eine bewundernde Nachkommenschaft verewigen werde.

Ich aber stand auf und sagte, »ich gehe«, leise genug, um die Musiker nicht zu verletzen, aber laut genug, um den anderen Gästen zu bedeuten, daß ich mutig genug war, mein plötzlich wachgewordenes Gefühl der Distanz einzugestehen. Auf dem Fußboden stand nun ein fast gleichmäßig verteilter Wasserspiegel. Obgleich ich beim Hinausgehen auf Zehenspitzen trat, wurden meine Füße naß, und ich konnte es auch nicht vermeiden, daß, während ich vorsichtig meinen Weg bahnte, einige Abendkleider mit Wasser bespritzt wurden. Aber dieser Schaden war ja nun, in Anbetracht dessen, was bald kommen würde, unerheblich. Wenige der Gäste würdigten mich – unter kaum gehobenen Lidern – eines Blickes, aber das war mir gleichgültig, ich gehörte nicht mehr dazu. Als ich die Flügeltür öffnete, stürzte eine Flut-

welle in den Raum und veranlaßte Lady Fitzwilliam (die Pflegerin keltischen Brauchtums), ihren Pelzmantel fester um die Schultern zu ziehen, zweifelsohne eine Reflexhandlung, denn nützen konnte es ja nichts. Bevor ich die Tür hinter mir schloß, sah ich noch Herrn von Perlhuhn (den Neo-Mystiker, *nicht* den Abraham-a-Santa-Clara-Forscher) mir einen halb verächtlichen, halb traurigen Blick zuwerfen, als habe er die schmerzliche Pflicht übernommen, mir die allgemeine Enttäuschung widerzuspiegeln. Er saß nun beinah bis zu den Knien im Wasser, wie auch die Marchesa, die nicht mehr in der Lage war, die Pedale zu gebrauchen. Ich weiß allerdings nicht, ob sie beim Cembalo sehr wichtig sind. Ich dachte noch, daß, wenn das Stück eine Cello-Sonate gewesen wäre, man nun zur Unterbrechung gezwungen wäre, da im Wasser der Instrumentenkörper keine oder nur ungenügende Resonanz gibt. Es ist seltsam, an welch abwegige Dinge man in solchen Momenten oft denkt.
In der Vorhalle war es plötzlich still wie in einer Grotte. Nur von fern hörte man ein durch mancherlei Echo verstärktes Brausen. Ich entledigte mich meiner Frackjacke und schwamm nun mit kräftigen Bruststößen durch den sinkenden Palast der Pforte zu. Die von mir verursachten Wellen schlugen leicht gegen Wände und Säulen. Es klang wie in einem Hallenbad. Selten ist es einem vergönnt, in derartigem Rahmen Sport zu treiben. Kein Mensch war zu sehen. Die Dienerschaft war offensichtlich geflohen. Und warum auch nicht? Sie hatte ja keine Verpflichtung der wahren und echten Kultur gegenüber, und die hier Versammelten bedurften ihrer Dienste nicht mehr. Draußen schien ein klarer, ruhiger Mond, als

geschähe nichts, und doch versank hier – im wahren Sinne des Wortes – eine Welt. Wie aus weiter Ferne hörte ich noch die höheren Flötentriller Monsieur Bérangers. Er hat einen schönen Ansatz gehabt; das muß man ihm lassen.

Ich band die letzte Gondel los, die das fliehende Personal übriggelassen hatte, und stach in See. Durch die Fenster, an denen ich vorbeiruderte, stürzten nun die Fluten in den Palast und blähten die Portieren, nassen Segeln gleich. Ich sah, daß sich die Gäste von den Sitzen erhoben hatten. Die Sonate mußte zu Ende sein, denn sie klatschten Beifall, zu welchem Zwecke sie die Hände hoch über den Köpfen hielten, denn das Wasser stand ihnen bis zum Kinn. Mit Würde nahmen die Marchesa und Monsieur Béranger den Beifall auf. Verbeugen konnten sie sich allerdings unter den Umständen nicht.

Nun erreichte das Wasser die Kerzen. Sie verloschen langsam, und mit zunehmender Dunkelheit wurde es still; der Beifall erlosch und verstummte, wie auf ein schreckliches Zeichen. Plötzlich setzte das Getöse eines zusammenstürzenden Gebäudes ein. Der Palazzo fiel. Ich lenkte die Gondel seewärts, um nicht von herabfallendem Stuck getroffen zu werden. Es ist sehr mühsam, ihn aus den Kleidern bürsten zu müssen, hat sich der Staub einmal festgesetzt.

Nachdem ich einige hundert Meter durch die Lagune in der Richtung auf die Insel San Giorgio hin gerudert war, drehte ich mich noch einmal um. Das Meer lag im Mondlicht spiegelglatt, als habe niemals irgendwo eine Insel gestanden.

Schade um die Badewanne, dachte ich, denn dieser Verlust war nicht wieder gutzumachen. Der Gedanke war vielleicht hartherzig, aber man braucht ja erfahrungsgemäß einen gewissen Abstand, um ein solches Erlebnis in seiner ganzen Tragweite zu erfassen.

Ich schreibe kein Buch über Kafka

Böse Zungen, oder vielmehr deren Besitzer, behaupten – und ich sehe sie dabei hämisch lächeln – daß ich an einem Buch über Kafka schreibe. Diese Anschuldigung trifft nicht zu, ich weise sie zurück. Denn ich schreibe an einem Buch über Golch.

Ehrlichkeitshalber möchte ich zugeben, daß ich mich vor langer Zeit einmal mit dem Gedanken trug – wie schließlich jeder sensible Intellektuelle – ein Buch über Kafka zu schreiben. Durch diese Phase muß man nun einmal hindurch, und man braucht sich später ihrer so wenig zu schämen wie einer jugendlichen Schwärmerei. Was mich damals allerdings davon abhielt, war weniger eine Abkehr von dem Thema als der Umstand, daß meine sämtlichen Bekannten bereits an einem Buch über Kafka schrieben (nicht alle an einem; jeder für sich natürlich). Aus irgendeiner Tücke des Schicksals heraus, die zu bedauern ich heute wahrhaftig keinen Grund mehr habe, hatten sie alle früher damit angefangen – ich habe mich verhältnismäßig spät entwickelt – und nun war für mich kein Aspekt mehr übrig, im Lichte dessen ich Kafka hätte deuten können. Deshalb spielte ich eine kurze Zeit mit dem Gedanken, einen der bedeutenderen Kafka-Biographen herauszugreifen und ein Buch über ihn zu schreiben, aber auch diese Idee hatte mir ein an-

derer, der, wie ich, zur Verteilung der Gesichtspunkte zu spät gekommen war, vorweggenommen.
Nun beschloß ich, mir ein neues Feld zu suchen, und ich fand eines. Ich schreibe, wie gesagt, an einem Buch über Ekkehard Golch. Für diejenigen, denen dieser Name kein Begriff ist – und es gibt noch allzuviele – möchte ich seine Persönlichkeit kurz umreißen.
Golch, der im Jahre 1929 sechsundachtzigjährig starb, war zeit seines Lebens – abgesehen von einer äußerlich ebenso ereignislosen Jugendzeit – Studienrat in Altmünzach, einer Stadt, in welcher Schnellzüge nicht halten. Wohl weniger dieser Tatsache als vielmehr seiner Gleichgültigkeit gegenüber dem Bereich der Abwechslung ist es zu verdanken, daß er diese Stadt niemals verlassen und sein Leben mit unermüdlicher Konzentration seinem Werk gewidmet hat. (Mein Kapitel »Innere Reisen« befaßt sich mit diesen Gedankengängen und verfolgt sie auf einer Ebene, welche den Rahmen dieser kurzen Rechtfertigung sprengen würde.)
Hier also lehrte Golch an der Töchterrealschule – denn eine solche gab es dort und gibt es noch heute – Englisch und Deutsch. Nach einigen analytischen Versuchen, von denen vielleicht der Essay »Körners Frauengestalten« der stärkste ist – leider dürfte er, wegen der Zeitgebundenheit des Themas, heute kaum noch Beachtung finden – widmete er sich seinem magnum opus, welches Leben und Werk James Boswells, des bedeutenden Biographen Johnsons, des unsterblichen Lexikographen, behandelt. Es ist dies ein Werk nicht nur von großer psychologischer Dichte und ungeheurer Eindringlichkeit, sondern es

übertrifft an quantitativem Inhalt – es umfaßt neun Bände – das Lebenswerk Boswells sowie Johnsons.
Ich will meinem Buch hier nichts vorwegnehmen, möchte aber betonen – und der Leser wird die hier etwa zutage tretende Selbstsicherheit gerechtfertigt finden –, daß es mir in meinem Werk, welches inzwischen bis auf das Schlußkapitel »Über das Wesen der Biographie« im Manuskript vorliegt, nicht nur gelungen ist, das starke Boswell-Erlebnis meines Helden in zwingender Weise zu schildern, sondern daß ich auch, umgekehrt, Boswell im Lichte Golchs beleuchtet habe, bei welchem Vorgang ich den eigenwilligen Doktor Johnson hinwiederum durch Boswells Brille gesehen habe (metaphorisch gemeint: Boswell trug keine Brille), wie er, durch Golch gedeutet, nun mir erscheint; gewissermaßen also eine dreifache Überblendung der Kernpersönlichkeit (– in diesem Sinne ein von mir geprägter Begriff; er hat nichts mit der Schule des C. G. Jung zu tun –) Doktor Johnsons.
Mein Buch ist gut, daran ist kein Zweifel. Es füllt eine Lücke. Ich möchte sogar wagen zu behaupten, daß die solide Kennerschaft und das Vermögen, mich in die Mentalität verwandter Geister zu versetzen, welche beide Tugenden sich in diesem Buch offenbaren, dereinst einen Biographen bewegen werden, mir, in meiner Eigenschaft als Golch-Biograph, zumindest einen ausführlichen Nachruf zu widmen. Und was die Behauptung betrifft, ich schreibe an einem Buch über Kafka, so wird sie mit dem Erscheinen meines Werkes widerlegt sein. Denn daß man nicht über Kafka *und* über Golch schreiben kann, wird selbst den Besitzern böser Zungen einleuchten.

1956 – ein Pilzjahr

Das Jahr 1956 ist beinah vergangen, und mit ihm verklingt das Gedenken an viele Unsterbliche, deren Geburts- und Todestage man während mehrerer feier- und festspielreicher Monate begangen hat: Mozart, Heine, Rembrandt, Caesar und Freud – Festredner, Kranzspender, Staatschefs und das diplomatische Corps sind kaum zur Ruhe gekommen. – Einen aber hat man vergessen: Gottlieb Theodor Pilz, der, vor hundert Jahren, am 12. September 1856 starb.

Seine Bedeutung wird heute weit unterschätzt. Das ist nicht verwunderlich. Denn er war weniger ein Schöpfer als ein Dämpfer. Sein Beitrag zur Geschichte der abendländischen Kultur kommt in der Nichtexistenz von Werken zum Ausdruck, Werken, die durch sein mutiges, opferbereites Dazwischentreten niemals entstanden sind. Es ist demnach kein Wunder, daß die Nachwelt, die ja gewohnt ist, die großen Geister nach ihrem Schaffen und nicht nach ihrer Unterlassung zu werten, seiner selten, wenn überhaupt je gedenkt.

Gottlieb Theodor Pilz wurde 1789 als Sohn wohlhabender protestantischer Eltern in Dinkelsbühl oder Nördlingen geboren. Der Streit um seinen wahren Geburtsort ist niemals gültig entschieden worden, daher zeigen beide Städte sein Geburtshaus. (Vergleiche G. S. Grützbacher: »Ist Pilz Dinkelsbühler? Beiträge zu einer Streitfrage.« Blätter für angewandte Kultur, Jahrgang XXII, 1881.) Die Eindrücke seiner Jugend trugen Wesentliches zu Gottlieb Theodors Entwicklung bei. [1] Von seiner Mutter wurden ihm Choräle von Buxtehude an der Wiege gesungen, und kaum war er dieser entwachsen, las ihm sein Vater Tacitus und Milton in eigenen Übersetzungen vor.

Im Jahre 1798 zog die Familie nach Hamburg, wo der Neunjährige mit dem geistigen Leben der Zeit in Berührung trat. Einer der regelmäßigen Gäste im Hause Pilz war Klopstock, der bei seinen Besuchen aus dem »Messias« vorzulesen pflegte, oder auch aus den Oden, von denen er damals noch, trotz fortgeschrittenen Alters, einige hundert im Monat schrieb. In einem Brief an Meyerbeer aus dem Jahre 1836 beschreibt Pilz diese Abende und erzählt, wie er dem damals schon recht kurzsichtigen Dichter während seiner Lesungen ganze Stöße von Oden entwendete, ohne daß dieser den Verlust jemals wahrgenommen hätte. (Vergleiche: »Die sieben Briefe des Gottlieb Theodor Pilz«, herausgegeben von Karl Ferdinand Gutzkow, Cottasche Verlagsbuchhandlung 1864.)

Auch die Dichter des Sturm und Drang kamen ins Haus, verbreiteten den Wind der bedingungslosen Auflehnung und führten den Begriff der Freiheit ein. Dazu kam die nationale Entrüstung und das Gefühl für angetane

1] Wie Gustav Prossnik in seiner – übrigens äußerst lesenswerten – Studie »Die Jugend großer Männer« betont, dürfte dieser Tatbestand der einzige sein, in dem sich Pilz nicht wesentlich von anderen großen Männern unterscheidet.

Schmach, das damals an der Tagesordnung war. Der junge Gottlieb Theodor von aufrührerischem Wirbel unbestimmter Art hingerissen, griff zur Feder und schrieb im schöpferischen Taumel einer stürmischen Nacht sein erstes und einziges Drama: »Herzog Theodor von Gotland«. Man zählte das Jahr 1804, Pilz war fünfzehnjährig.

Nach beendeter Schulzeit reiste er nach Italien, wo er bis 1809 blieb. Während dieser Zeit nun, schon im frühen Jünglingsalter, zeigen sich die für ihn bezeichnenden Züge, die ihn zu der Persönlichkeit prägen, als die wir ihn verehren: während seines Aufenthaltes im Süden, der zwei Jahre währte, hat er kein Tagebuch geführt. Er hat weder Aufzeichnungen noch Skizzen gemacht, noch hat er seine Gedanken über italienische Kultur in irgendeiner Form niedergelegt. Nicht ein einziger Ausruf von ihm ist überliefert, ja, angesichts des Golfes von Neapel soll er keine Miene verzogen haben. Im Jahre 1808 schrieb er einen Brief. [1] Dieser zeichnet sich durch eine für jene Periode wahrhaft seltene, erfrischende Nüchternheit der Aussage aus, daher er hier zitiert sei:

Palermo, Casa Gozzoli, den siebenten Oktober 1808

Liebste Mutter,
es behagt mir hier gar wohl, und so gedenke ich, eine Zeitlang zu verweylen. Ich wäre Euch dankbar, so Ihr

1] Die Originale der sieben Briefe sind leider während des großen Brandes von Hamburg verlorengegangen. Der Herausgeber, Karl Ferdinand Gutzkow, wird in der letzten Zeit wegen mancher

mir die Gefälligkeit erweisen und mir mein samtenes Jabot hierher senden wolltet, da die Abende kühl sind.
Seyd stets meiner Hochachtung versichert,

Euer Euch liebender Sohn
Gottlieb Theodor

Daß Pilz längere Zeit in Rom weilte, erfahren wir aus den Aufzeichnungen August Wilhelm von Schlegels, der zusammen mit Madame de Staël ihm im Jahre 1808 dort begegnete. Schlegel schreibt, daß sie ihn auf der Via Appia antrafen, wo dieser in der Sonne saß – Pilz darf als ein Pionier des In-der-Sonne-Sitzens gelten –, und ihn nach dem Weg zu den Caracalla-Thermen fragten, dem Ziel ihres Spaziergangs. Pilz erwiderte, daß er hier selbst fremd sei. So war das Gemeinsame der Situation festgestellt, und man kam ins Gespräch. Pils sei allerdings »recht unartig« gewesen, habe die beiden kaum angesehen, sondern stets nur in die Sonne geblinzelt. In Wirklichkeit war er, wie er später geäußert hat, »enragiert über die Störung und den rührigen Eifer der Staël«, wurde unruhig und einsilbig, und als die Staël ihm gar – ungefragt – mitteilte, daß sie ein Werk über Deutschland zu schreiben gedenke, fragte er schroff: »Wozu?« – Die Staël hatte hierüber nicht nachgedacht und blieb die Antwort schuldig.
Man traf sich noch einige Male im Café Greco. Über einem doppelten Mélange versuchte Pilz, der Staël ihr

Willkürlichkeit seiner Büchner-Bearbeitung angefeindet. Es besteht indessen kein Grund zur Annahme, daß er die Briefe Pilzens in irgendeiner Form verändert habe.

Vorhaben auszureden, aber vergebens: sie konnte sich nicht entschließen, auf eine Dokumentation ihrer Liebe zu Deutschland zu verzichten. Das vierteilige Werk »de l'Allemagne« erschien im Jahre 1813.
1810 ist Pilz in Berlin, wo er durch einen Zufall Friedrich Ludwig Jahn begegnet. Der Patriot faßt eine Zuneigung zu dem damals Einundzwanzigjährigen – auf Grund welcher Affinitäten ist uns leider nicht überliefert – und weiht ihn in seine Pläne ein: er beabsichtigt, den Freiheitskampf der alten Germanen gegen die römische Gewaltherrschaft in einem groß angelegten Dramenzyklus gleichnishaft darzustellen. Einige Vorbereitung und Wappnung zur Hermannsschlacht schildernde Szenen hat er schon zu Papier gebracht und will sie vorlesen. Pilz wehrt nicht nur energisch ab, sondern beginnt, bei dieser Gelegenheit, dem Älteren ins Gewissen zu reden: Jahn sei auf der falschen Bahn. Hermannsschlachten gäbe es schon und würde es auch in Zukunft zur Genüge geben. (– Prophetische Worte! –) Nein, so argumentiert Pilz, ohne das Maß seiner geistigen Gaben in irgendeiner Weise schmälern zu wollen, lägen vielleicht seine wirklichen Fähigkeiten doch auf einem anderen Gebiet – ja, habe er denn nicht überhaupt einen geheimen Hang zu Leibesübungen? Wie wäre es denn – so Pilz – wenn er diesen Hang zu erhabener Berufung mache und sein Leben der Aufgabe weihe, die deutsche Jugend durch körperliche Zucht zu kräftigen, indem er ihr diese durch Vorexerzieren vermittle? Vielleicht gar solle er sich »Turnvater Jahn« nennen, welcher Name ihm sofort einen gewissen bleibenden Nimbus verleihen werde! – Jahn entzündet sich sogleich an dieser – in der

Tat außerordentlichen – Idee, zerreißt das Manuskript seiner Hermannsschlacht und hat, soweit bekannt ist, niemals wieder an einem Schauspiel gearbeitet. Im Jahre 1811 wird ihm der erste Turnplatz gebaut.

Wo Pilz die nächsten drei Jahre verbrachte, ist unbekannt. 1814 treffen wir ihn in Wien, wo er der Uraufführung der Neufassung des »Fidelio« beiwohnt. Über den Eindruck, den diese Oper dem damals Fünfundzwanzigjährigen hinterlassen hat, ist nichts bekannt. Es ist anzunehmen, daß er sich zu diesem Werk nicht äußerte. Wir wissen jedoch, daß er während seiner Wiener Zeit persönlichen Verkehr mit Beethoven pflegte, und die unproduktive Periode des Meisters, die bekanntlich von 1814 bis 1818 währte, mag wohl auf diese Begegnungen zurückzuführen sein; aber das ist lediglich eine These, die wohl der Belegung durch zukünftige Forscher bedarf.

In das Jahr 1815 fällt der zweite Brief. Er ist an seinen Vater gerichtet. In diesem Brief schreibt er, daß es ihm gelungen sei, Mühlwesel [1] von seinem Vorhaben abzubringen, eine Operntrilogie über das Geschlecht der Habsburger zu schreiben, indem er ihn in das Vergnügen des Tarockspiels eingeweiht habe. »M. war zuerst hartnäckig, indem er behauptete, er sei Musiker, nicht Müßiggänger, und was ein Beethoven könne, könne ein Mühlwesel auch. Das sey zwar möglich, erwiderte ich, doch sey dies kein Grund, sein Vorhaben auch in die Tat umzusetzen. Wohin kämen wir denn, sagte ich,

1] Franz Xaver Mühlwesel, 1778–1859, Zitherspieler von Format, brachte es durch Kartenspiel zu einem ansehnlichen Vermögen.

wenn wir all das tun wollten, was ein anderer auch könne! Schließlich ließ er sich überreden. – Ich selbst gedenke, mich in der Schweyz einige Wochen von den Anstrengungen der letzten Zeit zu erholen.«
Aus einigen Wochen werden mehrere Jahre. Madame de Staël sieht ihn 1819 am Ufer des Genfer See in der Nähe ihres Landsitzes in der Sonne liegen. Auf ihren Anruf reagiert er nicht. Es ist anzunehmen, daß er sich schlafend stellte, denn ihre Gesellschaft bot ihm nichts Verlockendes. Auch darin unterscheidet sich Pilz von zahlreichen Männern seiner Zeit.
1821 kehrte Pilz nach Berlin zurück, wo er, unter anderen, E. Th A. Hoffmann begegnet. Von diesem läßt er sich eines Abends überreden, zusammen mit ihm und Ludwig Devrient bei Luther und Wegener zu zechen. Dem Wein von je alles andere als abhold, sieht er hier die Gelegenheit, sein Jugenddrama dem Theatermann Devrient vorzulegen. Aber dazu kommt es nicht. Denn am Nebentisch sitzt ein junger Mann, der sich »in seiner tiefen Trunkenheit gar gräßlich gebärdete«. Pilz erfährt, daß dieser ein Student namens Grabbe sei, Christian Dietrich mit Vornamen, der sich einbilde, ein Dichter zu sein und es als seine Mission betrachte, Shakespeare von der deutschen Bühne zu verdrängen.
Gottlieb Theodors Interesse ist geweckt. Er geht hinüber zum Tisch des jungen Mannes, der ihn sogleich mit unflätigem Lallen überfällt, in welchem Pilz alsbald die fixe Idee dieses Kauzes erkennt: Shakespeare sei ein Stümper gewesen und tauge bestenfalls zum Verfasser von Operntexten. Pilz hält es mit Recht für sinnlos, auf dieses Gespräch ernsthaft einzugehen, und sucht den

anderen zu beschwichtigen, indem er ihm zutrinkt. Aber Grabbe läßt sich von seinem Thema nicht abbringen und zieht, um seine kaum noch verständlichen Worte zu bekräftigen, ein Manuskript aus der Tasche, das er Pilz hinwirft: seine Bearbeitung von Shakespeares »Lustigen Weibern von Windsor« als Libretto. Pilz steckt es ein, und als Grabbe es zurückfordert, wirft jener – nun selbst nicht mehr nüchtern – ihm seinen »Herzog Theodor von Gotland« hin, den Grabbe einsteckt.

Grabbe hat die Verwechslung niemals bemerkt. Noch heute gilt das Drama als eines der Hauptwerke dieses Dichters. Aber es ist von Pilz.

Von 1823 bis 1840 lebt Pilz in Paris. Im Jahre 1824 lernt er hier die Baronin Aurore Dupin-Dudevant kennen. Sie faßt sofort eine zärtliche Zuneigung zu dem Fünfunddreißigjährigen. Pilz entzieht sich jedoch einer Bindung und rät der – überaus geistreichen – Frau, Männerkleidung anzulegen, sich George Sand zu nennen und Romane zu schreiben, was sie befolgt. Es sei hier zugegeben, daß diese Handlung mit seinem Schaffen in merkwürdigem Zwieklang steht, und manch einer seiner Kritiker hat sie als unbedacht, ja, verantwortungslos angeprangert. Tatsache ist, daß Pilz, von dem dringenden – und verständlichen – Wunsch beseelt, die Aufmerksamkeit der Baronin von sich abzulenken, wohl niemals ernsthaft glaubte, daß sie seinen Rat befolgen werde. Als er seinen Irrtum einsah und ihr Chopin vorstellte, war es zu spät; das heißt, sie blieb bei Chopin *und* der Literatur.

Es war übrigens, was nicht allgemein bekannt ist, Pilz,

der im Jahre 1835 Chopin davon abgehalten hat, Frauenkleider anzulegen und sich Aurore Dupin zu nennen. Auch diese Handlung hat ihm manch harte Kritik eingebracht, wenn auch in diesem Falle seine Verteidiger, die nun einmal Mazurken, Etuden und Kunstwalzer nicht missen möchten, in der Überzahl sind.
Bei einem gemeinsamen Opernbesuch mit George Sand lernt er 1828 Meyerbeer kennen, mit dem er sich bald darauf anfreundet. Schon bei der ersten Zusammenkunft versucht Pilz ihn zu überzeugen, daß er, Meyerbeer, seine Bestimmung verfehlt habe. Meyerbeer jedoch ist nicht zu überzeugen. Er behauptet, daß ihm auf keinem anderen Gebiet ein ähnlicher Erfolg beschieden wäre, und daß er dem Publikum gäbe, was es sehen und hören wolle. Pilz erkennt bald die Nutzlosigkeit seiner Versuche und bietet ihm nun eines Abends Grabbes »Lustige Weiber« zur Vertonung an. Nach eingehendem Studium des Manuskriptes lehnt Meyerbeer ab, da das Libretto nicht genug Aufwandmöglichkeiten biete.
Darauf beschließt Pilz, es an Beethoven zu senden, und schreibt seinen dritten Brief (datiert 22. November 1828). »Ich habe übrigens kürzlich«, so heißt es darin, »Ihre fünfte Symphonie gehört. Nicht übel, gar nicht übel! Dennoch ist es meine Meinung, lieber Meister, daß Sie sich einmal heiteren Dingen zuwenden und ein wenig Ferien vom Titanischen nehmen sollten. Vergessen Sie einmal Ihre tragische Existenz, sintemalen sie doch auch sehr anstrengend seyn muß! Wie wäre es mit einer Oper über die lustigen Weiber von Windsor? Das Textbuch ist fertig!« – Der Brief kam unbeantwortet zurück, denn Beethoven war 1827 verstorben.

Auch bei Berlioz hatte Pilz mit Grabbes Textbuch keinen Erfolg, und so hat er es denn, nachdem er einige Theoriestunden genommen hatte, im Jahre 1837 unter dem Pseudonym Otto Nicolai selbst vertont.

1836 steht Gottlieb Theodor Pilz auf der Höhe seines Wirkens. Es ist nicht nur das Jahr, in welchem es ihm nach hartem Ringen gelingt, Delacroix die Idee einer Reihe von Kolossalgemälden verschiedener Urwaldszenen auszureden, sondern er schreibt auch zwei Briefe. Beide sind an Meyerbeer gerichtet, der damals vorübergehend in Berlin weilte. Der erste Brief ist mehr reflektiver Natur. Er gibt Zeugnis der makellosen Selbstkritik seines Verfassers, indem er auf die Entwicklung seines künstlerisch-rezeptiven Gewissens eingeht, das er als Ursache und Triebkraft seines retardierenden Wirkens darstellt. Zwischen den Zeilen findet sich nochmals der zaghafte Versuch, dem Empfänger das dauernde Opern-Komponieren abzugewöhnen. (Diese Versuche hat Meyerbeer, dessen hervorstechendste Eigenschaft sein echter Großmut war, niemals übelgenommen.)

Der zweite Brief ist äußerst aufschlußreich und schildert Gottlieb Theodors unermüdliches Schaffen auf dem Gebiet der Dämpfung. Der folgende Absatz sei zitiert: »Abends bei Rossini. Das Essen war, wie immer, vorzüglich. Unter anderen köstlichen Dingen setzte er uns ein Tournedo vor, von dem Alfred (gemeint ist de Musset) mit Recht meinte, es allein würde genügen, um Rossinis Unsterblichkeit zu begründen. Ich griff diesen, an sich großen, Gedanken auf und versuchte, Rossini ernsthaft zu überreden, sich ausschließlich der Gastronomie zu widmen. Er will es sich überlegen.«

Diese wiederholten Versuche wurden schließlich von Erfolg gekrönt. Das »Tournedo à la Rossini« (1836) hat zum Ruhm des Meisters mindestens so viel beigetragen wie das sechs Jahre später entstandene »Stabat Mater«; tatsächlich sein letztes Werk auf dem Gebiet der Musik. Hiernach hat er bis zu seinem Tode im Jahr 1868 keine Note mehr geschrieben, kein Instrument mehr angerührt und sich ganz der Kochkunst gewidmet, die ihm manches Bleibende zu verdanken hat.
Der nächste Brief, aus dem Jahr 1841, ist an seine Waschfrau gerichtet und ist daher weniger aufschlußreich. Es handelt sich darin um einige seidene Halstücher, die abhanden gekommen seien. In die Cottasche Ausgabe ist er wohl lediglich der Vollständigkeit halber aufgenommen.
Während dieser Jahre wird Pilz in die Jury der Académie des Beaux Arts gewählt, in welchem Amt er dafür eintritt, daß das Los über Annahme oder Ablehnung der Bilder entscheiden solle, da, wie er sagt, der Wert der eingesandten Werke es gleichgültig mache, welche von ihnen man ausstelle und welche man refüsiere. Diesem Antrag wird allerdings nicht stattgegeben, im Gegenteil: Pilz zieht sich dadurch den Haß einiger damals bedeutender Maler zu, die heute in tiefer Vergessenheit schlummern und damit Gottlieb Theodors Antrag posthum aufs beste rechtfertigen.
Sonst sind über sein Wirken während dieser Jahre wenig Einzelheiten bekannt. Aber es darf angenommen werden, daß er unermüdlich gegen den künstlerischen Übereifer der Zeit kämpfte, und es ist zum großen Teil ihm zu verdanken, daß die Zahl der Werke jener Periode

nicht überhandgenommen hat. Allerdings in seiner Existenz eine Ursache für die kurze Lebensspanne einiger romantischer Meister von potentieller Bedeutung sehen zu wollen, was so viele Kritiker des späteren neunzehnten Jahrhunderts tun zu müssen glaubten, ist abwegig. Ihnen sei zugerufen: auch die Kunst Eurer Zeit hätte durch einen Dämpfer vom Formate Pilzens nicht gelitten!

Die Jahre von 1842 bis 1850 verbrachte Pilz auf Reisen in Italien, der Schweiz und Deutschland, wo er Schumann und Mendelssohn begegnete, denen er seine Theorie, nach welcher ein Komponist nicht mehr als vier Symphonien schreiben solle, mit Erfolg vortrug. Diese Theorie hat er schriftlich nicht niedergelegt, ihr Wesen ist daher leider nicht mehr bekannt, und es muß sogar befürchtet werden, daß sie nicht ernst gemeint ist. Dennoch haben diese beiden romantischen Meister sie befolgt. Das Symphonien-Opus beider beschränkt sich auf vier, und Schumann hat sogar Brahms in dieser Richtung mit Erfolg beeinflußt.

In das Jahr 1849 fällt Gottlieb Theodors letzter Brief. Er ist in München geschrieben und an George Sand gerichtet. Dieser Brief kann als Abschluß und Bilanz seines Wirkens betrachtet werden und ist vielleicht derjenige, der uns heute am meisten berührt, nicht nur wegen der darin geprägten Maxime »Mehr Worte, weniger Taten!« – welcher denkende Mensch fürwahr wollte nicht, daß sie mehr Gültigkeit gewonnen hätte!? – sondern vor allem wegen der bescheiden-resignierenden Manier, in welcher Pilz sich Rechenschaft über seine Erfolge und Mißerfolge ablegt, indem er sein Leben als nicht wirksam genug hinstellt, um gegen den ungeheuren Schaffensdrang der Zeit anzukämpfen. Zwischen den Zeilen klingt die Enttäuschung, daß er keine Schüler hinterläßt, die in seinem Sinne weiterarbeiten. Noch heute liest man den Brief mit Anteilnahme, ja, sogar nicht ohne Rührung.

1852 kehrt Pilz nach Paris zurück, wo er seine letzten Jahre mit Besuchen bei verschiedenen großen Männern verbringt, die er durch geistvolle Gespräche von ihrem Schaffen abhält. Seine eigenen jours fixes haben einen beinahe sagenhaften Nimbus erhalten.

Am zwölften September 1856, bei einer seiner Abendgesellschaften, ereilt ihn sein dramatischer Tod. Er hat die letzten Tage damit zugebracht, Racines Tragödien zu einem Einakter zusammenzustreichen, um, wie er hofft, die Wirksamkeit dieses Dichters zumindest für einige Dekaden zu retten. Aus dieser Fassung rezitiert er den großen Monolog der Phaedra. Plötzlich sinkt er leblos zu Boden. Die Anwesenden klatschen Beifall. Sie glauben, diese Geste kröne den Vortrag. Erst allmählich überzeugen sie sich unter großer Erschütterung von dem Ableben des Siebenundsechzigjährigen. Der zu spät herbeigeeilte deutsche Arzt konstatiert Schlagfluß als Resultat eines vernachlässigten hitzigen Frieselfiebers.

Gottlieb Theodor Pilz hat viele Kritiker gefunden, die nicht müde werden, seine hemmende Wirkung auf die organische Entfaltung der Romantik immer wieder anzugreifen. Man mag zugeben, daß – da die Nicht-Existenz der von ihm verhinderten Werke eine Beurteilung derselben natürlicherweise unmöglich macht – manche von ihm im voraus verworfene Arbeit sich vielleicht bis in unsere Zeit hinein hätte halten können. Und dennoch hat sich seine Erscheinung auf allen Gebieten der Kunst wohltuend, ja erlösend bemerkbar gemacht. Wie viel ist uns durch ihn, den Großen, Einzigen erspart geblieben! Zu früh ist er gestorben, und wir können nicht umhin, festzustellen, daß auch heute ein Pilz am Platze wäre.

Auf seinen ausdrücklichen, kurz vor dem Tode geäußerten Wunsch hat man Gottlieb Theodor Pilz keine Denkmäler gesetzt, sondern seine gesamte Hinterlassenschaft begeisterungsfähigen, jedoch wenigbegabten jungen Menschen zukommen lassen, im Tausch gegen das Versprechen, fürderhin von schöpferischer Arbeit abzusehen. Leider sind diese Mittel seit langem erschöpft, und damit ist der Geist Gottlieb Theodors erloschen.

Und so waren es denn auch nur wenige Wissende, die sich an seinem Todestag zu einer schlichten Feier am Grabe dieses großen Mannes einfanden.

Bildnis eines Dichters

Der vor einigen Jahren verstorbene Lyriker Sylvan Hardemuth stellt eine der merkwürdigsten Erscheinungen der Literaturgeschichte dar. Denn man darf den Fall eines Mannes, den Verkennung zum gefeierten Lyriker machte, wohl als seltsam, wenn nicht gar als einzigartig betrachten.

Hardemuths eigentlicher Name war Alphons Schwerdt. In jungen Jahren bereits offenbarte sich seine außergewöhnlich klare Urteilskraft in literarischen Dingen. Er nützte sie, um in scharfsinnigen kritischen Aufsätzen gegen einige ausgewählte Dichter der Jahrhundertwende zu Felde zu ziehen, die er auch tatsächlich bald zum Schweigen brachte. Daraufhin verstummte zunächst auch er, denn er hatte sich seiner Opfer beraubt. Da sich nun vorerst keine anderen zu bieten schienen – denn gegen die allgemeine Tendenz der damaligen Literatur hatte er nichts einzuwenden, oder vielmehr: sie interessierte ihn nicht – beschloß er, seine eigene Lyrik zu schreiben, welcher er nun genau die Mängel anhaften ließ, durch deren kritische Beurteilung die Kunst seiner bösartigen Feder ins beste Licht gerückt würde.

Er legte sich also den Künstlernamen Sylvan Hardemuth zu und schrieb eine Gedichtsammlung. Ihrem Erscheinen folgte in der damals führenden literarischen Zeitschrift

eine vernichtende Kritik von solcher Brillanz, daß die Leser Hardemuths Gedichte gierig verschlangen, um den vollen Gehalt der Schwerdtschen Würdigung – wenn man es so nennen will – voll auskosten zu können.
Ein Jahr darauf erschien ein weiterer Gedichtband Hardemuths, dem sofort eine Besprechung von Schwerdt folgte, die auf dem Gebiet der kritischen Literatur geradezu als epochemachend bezeichnet werden muß. Dieser Vorgang wiederholte sich auch im folgenden Jahr und versprach, eine feste literarische Institution zu werden, aber diesmal schlug die Sache fehl, indem das Publikum, auf dessen Gunst nun einmal kein Verlaß ist, an den Gedichten Gefallen fand: die Besprechung, obgleich geistreicher denn je, stieß auf kühle Ablehnung: man stellte fest, daß sie dialektisch zwar meisterhaft, als Analyse jedoch ungerecht und kleinlich sei. Darauf war Schwerdt nicht vorbereitet gewesen, und in seinem nächsten Gedichtband wählte er einen Stil, den man selbst vom damaligen Standpunkt aus nur als krasses Epigonentum ansprechen kann. Das Publikum aber war begeistert, und über die bald darauf erscheinende Kritik wurden bereits Stimmen der Empörung laut.
Der erbitterte Schwerdt ließ daraufhin Hardemuth eine Sammlung neobarocker Sonette schreiben: vergebens; Hardemuth war der Liebling des Publikums geworden – welches sich nun auf einmal in seiner Gunst beständig zeigte – und genoß den ganz und gar unerwünschten Nimbus des großen Dichters. Sein Ansehen wurde durch den Umstand, daß er persönlich niemals in Erscheinung trat, noch erhöht. Im Jahre 1909 erhielt er, wie sich mancher Leser erinnern mag, den Nobelpreis.

Das war zuviel für Schwerdt. Entmutigt und verkannt, beschloß er, die Scheinexistenz des erfundenen Dichters ad absurdum zu führen. Als Sylvan Hardemuth kaufte er sich ein Bauerngut mit Äckern, Stallungen, Vieh und allem Zubehör. Hier lebte er, verfaßte einen Gedichtband nach dem anderen und ging so rückwärts die Stilentwicklung der Jahrhunderte durch; er hatte sich ein homerisches Epos zusammengeschrieben, als ihm der Tod, der ergeben gewartet zu haben schien, bis er bei den Ursprüngen angelangt war, die Feder aus der Hand riß.
Zwischen diesen Werken verfertigte Hardemuth von Zeit zu Zeit kleine Aufsätze für Wochenzeitschriften, in welchen er die stille Einfachheit des Landlebens pries, die Unverdorbenheit der Landbewohner, die Schönheit der Berge zu verschiedenen Jahreszeiten und die würdevolle Einfalt des Viehs. Unter der Treibkraft gekränkter Eitelkeit gehen selbst geniale Menschen oft zu weit. Denn es muß leider gesagt werden, daß diese Artikel, zweifelsohne in Augenblicken diabolischer Genugtuung abgefaßt, vom Publikum durchaus ernst genommen wurden, ja, es sah eine Zeitlang so aus, als drohe von seiten der gebildeten Schichten eine ernsthafte Rückkehr zur Natur. Aber dazu kam es nicht, so weit reichte selbst der Einfluß eines Hardemuth nicht.
Einmal noch versuchte sich Hardemuth als Alphons Schwerdt, und zwar in einem recht abgeschmackten Artikel, in dem es hieß, daß der ganze bäuerliche Tand zu nichts anderem diene, als den Besuchern eine abgeklärte Beschaulichkeit vorzutäuschen, die in Wirklichkeit nichts anderes sei als ein eitles Lügengebäude: der Gutsbetrieb sei nur zum Schein bewirtschaftet, das

Gesinde werde von stellungslosen Schauspielern dargestellt, und die Herden seien durchsetzt mit Rindviehattrappen aus bemaltem Sperrholz. Dieser allerdings wirklich lächerliche Angriff löste nur mehr Erheiterung aus. Man betrachtete ihn – gewissermaßen mit Recht – als das erboste, impotente Wettern eines Zwerges gegen einen Giganten. Schwerdt ist daraufhin als Schwerdt ein für allemal verstummt.

Nun aber kam es so, daß Hardemuth – denn so dürfen wir ihn von jetzt an nennen – sich mit zunehmendem Alter mehr und mehr in seine titanische Rolle einfühlte und seine frühere Existenz zu vergessen, oder wenigstens zu verdrängen begann. Nicht nur ermöglichte ihm die im Lauf der Zeit erworbene Fertigkeit, in seiner Lyrik von einer Stilepoche zur anderen zu springen – wahrhaft ein Rhapsode des Eklektizismus! – sondern er paßte nun auch das tägliche Leben seinem Dichtertum an. Die zahlreichen Besucher empfing er in einem hohen Lehnsessel sitzend, eine Toga um die Schultern und ein Plaid über den Knien, in einer Pose also, die er den traditionellen Darstellungen von Dichterfürsten entnommen hatte, die sich bekanntlich, um ihre Unsterblichkeit zu wahren, gegen Zugluft schützen müssen. Auch umgab er sich mit Jüngern und Jüngerinnen, die zu seinen Füßen auf Kissen – er nannte sie Jüngerkissen – saßen und ihn mit »Meister« anredeten. Ein Porträt, wenige Jahre vor seinem Tode gemalt, zeigt ihn auf seinem Sessel, einen Federkiel in der linken, eine Pergamentrolle in der rechten Hand; über sein Gesicht huscht ein bitter-feines Lächeln, gleichsam als verzeihe er dem Betrachter schon im voraus sämtliche Fehlurteile, die er über

ihn, Hardemuth, in Zukunft äußern möge. Dieses Bild befindet sich in meinem Besitz. Ich habe es von einer staatlichen Galerie äußerst günstig erworben, zu einer Zeit, in welcher sich Hardemuth – nicht lange nach seinem Tod – als mit Schwerdt identisch entpuppte und daraufhin bei der Öffentlichkeit, die sich peinlich betrogen fühlte, in posthume und endgültige Ungnade fiel.
In wenigen Jahren wird Hardemuth der Vergessenheit anheimgeraten sein, ein Schicksal, dem nun einmal die wenigsten literarischen Nobelpreisträger zu entgehen scheinen. Damit ist dann auch das Andenken Schwerdts ausgelöscht, denn die beiden heben einander gegenseitig auf.

Die zwei Seelen

Vor kurzem berichtete die Tagespresse von einem Rechtsfall, der nicht nur Juristenkreise, sondern auch das literarisch interessierte Publikum den Atem anhalten ließ. Der Dichter Hubertus Golch hatte den Kritiker Eduard Wiener, der sich anläßlich der Uraufführung seiner Tragödie »Orestes« über ihn und sein Dramenwerk in sehr abfälliger Weise geäußert hatte, wegen infamer Beleidigung verklagt. Wiener, so hieß es, habe unsachliche Motive geltend gemacht, indem er geschrieben habe, daß heutzutage die Familie Agamemnons für alles herhalten müsse, was ein Dramatiker zu sagen habe, und in diesem Falle auch für das, was er unter einigem Aufwand von Takt und Selbsturteil besser verschweige. Golch sei in einer Kette jämmerlicher Epigonen das letzte Glied; kurz, die Anschuldigungen waren von der Art, wie sie kein ernsthafter Dichter gern auf sich sitzen läßt. Es kam zum Prozeß, während dessen Anfangsstadium sich zur Überraschung aller Beteiligten herausstellte, daß Golch und Wiener identisch sind. In einer Anwandlung selbstkritischer Zerknirschung hatte Golch diese radikale Methode gewählt, den Wert seines gesamten Schaffens vor aller Öffentlichkeit in Frage zu stellen.

Das erstaunte Gericht vertagte sich daraufhin, um zu

beraten, was hier zu tun sei: man wollte dieses mit Liebe vorbereitete Verfahren, auf welches sich sowohl die beteiligten Juristen als auch das Publikum gefreut hatten, nicht einfach sang- und klanglos abbrechen. So suchte man also einen Präzedenzfall. Ein älterer Beleidigungssachverständiger entsann sich eines – in der Tat, des einzigen – Falles dieser Art; eines Falles, der gegen Ende des vorigen Jahrhunderts den juristischen Instanzen zu schaffen gemacht hatte: das Verfahren Ansorge gegen Ansorge vor dem großherzoglichen Kammergericht zu Karlsruhe. Der Leser wird sich dieser kuriosen Angelegenheit kaum noch erinnern, es sei denn, er ist heute in den Achtzigern. Mir selbst ist der Fall gegenwärtig, denn ich bin heute über neunzig; zudem war der Betroffene mein Vetter.

Der Philosoph Crispin Ansorge hatte – um es in jedermanns Worten auszudrücken – zwei Seelen in seiner Brust: er war Philosoph und Mensch. Als Philosoph beschäftigte ihn gebührenderweise ausschließlich die Welt der Gedanken, während er der Gefühlswelt nicht Rechnung trug. Als Mensch dagegen war er jeglicher Philosophie abhold, da sie, wie er sagte, in ihrer strengsten Konsequenz gefühlsfremd und damit lebensfremd sei. Die Tatsache, daß er als Philosoph dualistische Tendenzen vertrat, daß also die eine Hälfte der gespaltenen Persönlichkeit eine weitere Spaltung zum Wesen hatte, mag seinen inneren Zwist noch verstärkt haben, aber das tut innerhalb dieses Berichtes nichts zur Sache. Zu seinen Gunsten muß gesagt werden, daß er bei seinen Vorlesungen niemals versuchte, durch Angriffe auf andere philosophische Schulen den Hörern seine Ideologie als die einzig vertretbare aufzuzwingen. Sein Vortrag war wie sein Denken: maßvoll und von keiner Leidenschaft verzerrt. Diese trat nur in der Spannung zwischen Philosophie und Leben zutage. Hier focht er einen Streit ohne Kompromisse. Traf man ihn auf der Straße, so wußte man niemals, an welche der beiden Seelen in seiner Brust man sich zu wenden habe; ja, es ging so weit, daß, wollte man ihn besuchen, seine Haushälterin auf die Frage, ob Professor Ansorge zu sprechen sei, antwortete: »Meinen Sie den Denker oder den Menschen?« Auf ein solches Dilemma war der unbefangene Besucher natürlich nicht vorbereitet, er wurde verwirrt, und manch einer verzichtete auf die Unterredung. Bei einem Menschen von geringerer Bedeutung hätte man ein solches Gebaren als Unfug bezeichnet.

Als naher Verwandter dieser eigenartigen Erscheinung möchte ich kurz auf seine Erbmasse eingehen. Der Vater vereinte in seinem Charakter eine gewisse zügellose Phantasie mit weltfremder Naivität. Die Tatsache, daß er eine Zeit lang für die Wiedereinführung des jus primae noctis kämpfte, deutet ebenso – und zwar auf unzweideutige Weise – auf die seltsame Eigenwelt dieses Mannes wie auf die Tatsache hin, daß der Sohn von dieser väterlichen Neigung, die ja eine gewisse, wenn wohl auch vornehmlich theoretische Beschäftigung mit dem Körper voraussetzt, wenig, wenn überhaupt etwas, übernommen hat. Die Mutter dagegen war eine Frau von glücklichem Naturell, die mit beiden Füßen in dem Leben stand, das sie vorfand. Ihre Gesellschaft soll jedoch schwer erträglich gewesen sein, denn sie äußerte selten etwas anderes als stehende Redensarten, was zur Folge hatte, daß sie in ihren späteren Jahren niemals etwas sagte, was sie nicht bereits schon immer gesagt hatte. Dieses Zwiegespann war vielleicht nicht alltäglich; dennoch ist es müßig, selbst in einer noch so willkürlichen Mischung der Charaktereigenschaften beider irgendeine Basis für die Veranlagung des Sohnes erkennen zu wollen, es sei denn, daß diesem Elternpaar tiefer gelegene Züge innewohnten, die bei ihm, sich sublimierend, ans Tageslicht traten.

Auf die Beschaffenheit seiner Konflikte habe ich hingewiesen. Die Tatsache, daß er nicht das lehrte, was er lebte – oder umgekehrt – teilt er mit vielen Philosophen. Indessen, bei ihm ging es noch weiter: als Mensch, der regen Anteil an den geistigen Strömungen des Tages nahm, äußerte er sich auch zu seiner eigenen Philosophie, indem er sie nämlich mit sämtlichen ihm zur Verfügung stehenden Mitteln, vor allem aber in der Presse, bekämpfte (wenn auch nicht in der Fachpresse, denn diese stand ihm als Mensch nicht offen). In seiner hitzigen, überspitzten Ausdrucksweise, deren er sich – als Mensch – bediente, vertrat er das, was er den menschlichen Standpunkt der Philosophie gegenüber nannte, als Philosoph jedoch als unsachlich verwerfen mußte. Man mag diese Aufsätze ablehnen, sich an ihrem erregten Pathos stoßen, aber es darf nicht bezweifelt werden, daß es sich in ihnen um die Ansicht eines aufrechten Mannes handelte, dem es durchaus ernst war. Das dieserart Problemen aufgeschlossene Publikum sah sich in einen Wirbelstrom gegensätzlicher Meinungen gerissen, und manch einer hätte an dieser Debatte gern teilgenommen, hätte er gewußt, wie er es anstellen solle, Ansorge zu verteidigen, ohne ihn dabei anzugreifen. Denn man konnte nie wissen, in welcher Gestalt er auftauchte. Man wollte sich nicht dem bösen Spott des Philosophen aussetzen, indem man eine Lanze für den Menschen brach. So schwieg man und ließ ihn die Angelegenheit mit sich selbst ausfechten.

Jedoch die Polemik nahm im Lauf der Zeit solche Formen an, ihr Wortlaut wurde so beleidigend, daß eines Tages Ansorge der Mensch, der im Gegensatz zu Ansorge dem Philosophen oft und auch bewußt im Affekt handelte, einen Prozeß gegen den letzteren anstrengte. Man kann dies nur so verstehen, daß er eine solche Handlung als symbolisch gedeutet wissen wollte. Jedenfalls ein einmaliger Sachverhalt.

Den Gerichtsbehörden gebührt in diesem Falle unsere Hochachtung. Man kann ihnen wohlwollendes Entgegenkommen in heiklen Situationen nicht absprechen. Ansorge gelang es, zwei Rechtsbeistände für die jeweilige Sache zu begeistern, und es kam zu jenem Prozeß, den ein damals bedeutender Rechtsgelehrter als »das vierblättrige Kleeblatt auf der Wiese der Beleidigungsverfahren« bezeichnet hat. Damals bediente man sich noch hübscher Bilder und griff sie meist aus der Natur.

Mit gelassener Selbstverständlichkeit vertauschte Ansorge mehrere Male die Anklagebank mit dem Klägerstuhl. Schon schien es, als solle der Mensch den Prozeß gewinnen, denn die Stimmung auf der Richterbank überwog zu seinen Gunsten, und wer würde ein Gericht für Parteilichkeit dem Menschlichen gegenüber zur Verantwortung ziehen?! Aber nun kam es zum Verhör des Klägers durch den Angeklagten! Da ja Ansorge nicht beide Plätze gleichzeitig einnehmen konnte, war der Klägerstuhl leer. Crispin Ansorge, dem natürlich ohnehin der Triumph eines Teiles seiner Persönlichkeit sicher war, zeigte mit großer Geste auf den Klägerstuhl, wandte sich an Richter und Publikum und rief mit dramatischer Würde: »Der Mensch, die feige Memme, hat vor dem Philosophen die Flucht ergriffen!« Das war der Höhepunkt. Der Applaus war stürmisch, die Welle der Gunst schlug – zumindest für den Augenblick – von der Menschlichkeit über zur Philosophie. Sokrates hätte geschmunzelt. Auch ich wäre gern dabei gewesen.

Der Mensch hatte jedenfalls den Prozeß verloren und wurde zu einer geringen Geldstrafe verurteilt: ich weiß nicht, ob mein Vetter die Komödie so weit spielte, daß er sich selbst einen Scheck ausschrieb. Jedenfalls hatte die Sache noch ein Nachspiel, indem die beiden Anwälte, die sich während des Verfahrens in gegenseitige Erbitterung hineingesteigert hatten, einen Prozeß gegeneinander einleiteten, der allerdings, soweit mir bekannt ist, niemals entschieden wurde.

Ansorge endete einige Jahre darauf durch Selbstmord. Zweifelsohne wollte er es so darstellen, daß er einem Duell mit sich selbst zum Opfer gefallen sei, wobei nicht klar ist, wer von den beiden – Mensch oder Denker – als Anstifter gelten sollte. Tot waren sie beide, denn seine philosophischen Schriften haben den Menschen so wenig überlebt wie sein Dualismus den heutigen Pluralismus.

Aus der Tatsache, daß nun auch, wie jedermann weiß, im Falle Golch der Dichter den Prozeß gegen den Kritiker alias Wiener gewonnen hat, können wir die Lehre ziehen, daß in solchen Fällen – ich möchte sie Doppelseelenfälle nennen, um für zukünftige Eventualitäten einen Präzedenzbegriff zu prägen – die verklagte Seele den Sieg über die anklagende davonträgt.

Dem Leser, dessen Gefühl für Gerechtigkeit durch einen solchen Umstand befriedigt ist, soll allerdings gesagt sein, daß diese These, wie betont, als empirisch zu betrachten ist. Sie baut sich nicht auf moralischer, sondern lediglich auf gerichtstechnischer Notwendigkeit auf, und dadurch büßt sie leider an ethischem Gehalt ein.

Westcottes Glanz und Ende

Rudolf Westcotte war ein Begnadeter. Diese Tatsache hatte er früh erkannt und mit schöner Gelassenheit hingenommen; schon in jungen Jahren wußte er, daß ihm das Schicksal derer erspart bleiben würde, welche den dumpfen Drang zum Selbstausdruck für erhabene Berufung halten. Daher quittierte er die Großzügigkeit der Musen ohne jene Demut, die man den Titanen der Kunst – meist zu Unrecht – nachrühmt; er fand vielmehr, daß ihm dies alles gebühre, und machte es sich zur Aufgabe, die Spitzenrepräsentanten der bildenden Künste einzeln, und jeden auf seinem eigenen Gebiet zu besiegen. Nachdem er, im Alter von zweiundzwanzig Jahren, der Tafelmalerei seiner Zeit die letzten und entscheidenden Akzente aufgesetzt hatte, nahm er den Meißel zur Hand und korrigierte mit einigen wohlgezielten Schlägen den damaligen – wie ihm schien, unvollkommenen – Stand der Bildhauerei. Lässig wandte er sich dem Fresco zu, schuf Ewiges an den Wänden großer öffentlicher Gebäude, um sich lässig wieder abzuwenden. Die graphischen Künste hatte er während seiner schöpferischen Pausen abgetan.

So waren die Kollegen im Wettstreit besiegt, die hergebrachten Ausdrucksmittel erschöpft. Mißmutig beschloß Westcotte, die Kunst an den Nagel zu hängen, und

schlug – er liebte Symbole – einen Nagel in die Wand seines Ateliers. Dies jedoch war einer jener Wendepunkte, deren es – sollen wir den Biographen Glauben schenken – im Leben jedes wahren Künstlers zumindest einen gibt; das Hämmern weckte nämlich Bettina, die im Nebenraum geschlafen hatte. Verstört eilte sie herbei; mit der Symbolfreudigkeit ihres Gatten vertraut, erahnte sie sogleich die Bedeutung des Nagels.
Bettina war ehrgeizig und nicht gewillt, auf den polychromen Glanz zu verzichten, der sie in Modeblättern als berühmte Schönheit, in kunstgeschichtlichen Werken dagegen als edelstes Modell ihres berühmten Gatten widerspiegelte: eine Verkoppelung zweier Funktionen, die ihren Lebensinhalt bildeten. So hatte sie denn auch bisher für eine lückenlose Entwicklungschronik ihrer reifenden Schönheit gesorgt, indem sie Rudolf dazu anhielt, ihre Züge und Formen, je nach dem Stadium, in welchem er sich gerade befand, mit Stift, Pinsel oder Meißel festzuhalten. Es versteht sich daher, daß sie gegen den Entschluß zukünftiger Untätigkeit aufs heftigste protestierte.
»Wenn dir, mein Freund«, so rief sie ihm zu, »die bewährten Mittel nicht genügen, so nimm dies«, – hier drückte sie ihm eine Gartenschere in die Hand, – »geh hinaus in den Garten, und schneide mein Bildnis in die Buchsbaumhecke!«
Wortlos nahm Rudolf die Schere, ging hinaus und machte sich an ein überlebensgroßes Bildnis seiner Frau in Buchsbaum. Bettinas Idee hatte das scheinbar verglimmende Feuer neu entfacht. Geniale Menschen bedürfen oft nur des geringsten Hinweises auf einen noch

unvollkommen erprobten Bereich, und schon sind sie aus ihrer Lethargie erweckt.
Das Heckenbild ist eine Kunstform, die ihrem Schöpfer eine gewisse architektonische Vereinfachung auferlegt. Stilisierende Beschränkung auf das Wesentliche war indessen von je Rudolf Westcottes Stärke und Programm gewesen. Das Bildnis gelang. Ihm folgten Portraits einiger auserwählter Freunde. Die theoretische Untermauerung überließ er der Meute seiner Biographen, denen die Entdeckung solch unverhofften Neulands willkommene Gelegenheit zu selbstherrlicher Entfaltung bot.
Aber auch diese Periode währte nicht lange. Da Buchsbaumhecken schnell wachsen, erfordern sie eine dauernde Überarbeitung ihres Profils. Rudolf war nicht geneigt, Tag für Tag Korrekturen seiner bestehenden Werke vorzunehmen. Er beschloß daher, die inzwischen stattliche Galerie zuwachsen zu lassen, sehr zum Ärger Bettinas, deren Bildnis, im fortgeschrittenen Stadium der Vernachlässigung, zu hämischer Karikatur verkommen war. In ihrer Erregung versuchte sie, ihr Abbild zu retten, aber es gelang ihr nicht. Unter ihren heftigen Schnitten schrumpfte der Strauch zum Skelett. – Den letzten Stadien der Verwilderung entfloh das Paar durch eine längere Reise. Damit war auch diese Periode zu Ende.
In Marseille angelangt, gedachten sie, sich nach Samoa einzuschiffen. Aber es kam anders. Als sie eines Nachts die Cannebière entlanggingen, stieß Rudolf auf einen neuen Wendepunkt: einen betrunkenen, halbnackten Matrosen. Es gelang den beiden im letzten Moment, seinem gefährlichen Wirkungskreis auszuweichen, aber

während der Mann vorbeitorkelte, erblickten sie im Licht der Straßenlampe seinen Oberkörper: eng bebildert, wie eine Wand im Louvre. – »Du solltest tätowieren lernen!« sagte Bettina, erregt durch diesen Anblick; »ich glaube, Rudolf, du könntest Großes leisten!«
Rudolfs innere Stimme wiederholte Bettinas Aufforderung. Eine Woche später hatte er das Handwerkliche im Hafen von Marseille erlernt. Gegen ein großzügiges Lehrgeld stellte ihm sein Meister einige Matrosen zur Verfügung, die nicht so empfindlich waren, daß sie über eine gelegentliche Korrektur unwillig geworden wären. Bald gewann Rudolf Sicherheit über die Nadel, die er nun an Bettinas kostbaren Rücken setzen durfte.
Auch hier versagten die Musen nicht. Das Bild auf Bettinas Rücken wurde ein Meisterwerk unbeschwerter Transparenz, eine Komposition in hellen, duftigen Tönen. Denn es gelang Westcotte, dessen Phantasie sich sogleich an dem neuen, geschmeidigen Material entzündet hatte, das Primitiv-Lineare, das der Kunst des Tätowierens von je angehaftet hatte, hinter sich zu lassen und farbige Flächen anzulegen, wobei er – Meister der großen Vision, der er war – den Rahmen sprengte und die Schulterblätter bis zu den Achseln in die Komposition miteinbezog. Zwar kostete dieser Vorgang Bettina ein paar aufreibende Stunden, durch starke Drogen nur leicht gelindert, aber das Resultat war Schmerzensgeld genug: als die vollends Genesene sich, vermittels mehrerer Spiegel, von der Wirksamkeit des neuen Schmucks überzeugen konnte, war ihre Freude groß.
Es versteht sich, daß die beiden ihre Schiffskarten

verfallen ließen und an die Riviera fuhren. Hier wußte man von Westcottes Bedeutung; und bald nachdem die Damen am Strande Bettinas ansichtig geworden waren, konnte sich Rudolf neuen Rücken zuwenden.
Große Kunst ist der Ausdruck einer Art Überwahrheit, es haftet ihr etwas Überzeugenderes, Größeres an, als unserer hausbackenen Realität, die sich der Möglichkeit künstlerischer Darstellung schon durch ihre immer wiederkehrende banale Alltäglichkeit entzieht. Diese Überwahrheit zeichnet die Rücken Westcottes aus, deren reifster wohl Mrs. Homer B. Shrankle jr. gehören dürfte: ein horizontal angelegtes Stilleben in tiefbraunen und mattroten Tönen, Ruhe atmend, meisterhaft in der Ausgeglichenheit seines Valeurs. Man sagt übrigens, daß das Museum of Modern Art in New York mit den Nachkommen der nicht mehr jungen Mrs. Shrankle über dieses Stück verhandle, wie auch über den Rücken der alten Marquise de Corvois-Dutour, deren Erben – einem maliziösen on-dit nach – nicht auf Rosen gebettet sein sollen. Freilich: wer wüßte nicht, wie das Gerücht gerade in solchen Dingen übertreibt!
Die erste Ausstellung der Rückenbilder Westcottes fand in Cannes statt. Sie diente wohltätigen Zwecken; und da Damen der haute volée für wohltätige Zwecke so gut wie alles zu tun bereit sind, stellten sie sich dem Komitee mit einer Selbstlosigkeit zur Verfügung, die wahre soziale Gesinnung verriet: drei Stunden am Tag saßen sie in der Galerie, mit hinten weitausgeschnittenen Roben, ihre Rücken dem vorbeidefilierenden Publikum zugewandt. Sie hatten es jedoch zur Bedingung gemacht, daß sie hinter Glas säßen, um sich kritischen Unter-

suchungen der Textur und des Pigments von seiten zu näherer Analyse aufgelegter Experten zu entziehen.
Westcotte wandelte durch die Reihen seiner Werke – unbefriedigt; es schien ihm, als werde das Starr-Statische seiner Kompositionen dem Material nicht gerecht. Man sollte, so dachte er, die technischen Möglichkeiten der lebenden Materie anpassen: das Bild müßte ständig in Bewegung sein, in wechselnder, schillernder Harmonie; Formen und Flächen müßten sich gegeneinander verändern, ein dauerndes Widerspiel der Lichter und Schatten, froh und übermütig. Den Gedanken, seine Damen turnen zu lassen, verwarf er: es hätte die Grenzen des Zumutbaren überschritten. Zudem wäre es der falsche Weg zu der gewünschten idealen Einheit. – Nein, zu den lebenden Bildern, die nunmehr vor seinem geistigen Auge auftauchten, bedurfte es einer neuen Konzeption, die von vornherein sämtliche Möglichkeiten der Bewegung in sich einschloß. Dieser Idee galt es nachzugehen.
Flüsternd verabschiedete er sich von Bettina, die unter den ausgestellten Damen war, und reiste ab, um in einer neuen Umgebung sich seiner neuen Aufgabe zu widmen.

Es ist Nachsaison. In der halbleeren Halle des großen Hotels herrscht besonnte Schläfrigkeit. Hier und dort klirrt der Mokkalöffel leise durch das Geräusch müder Nach-Tischgespräche. Da löst sich aus einer Gästegruppe eine Dame in trägerlosem Sommerkleid und schreitet zum Klavier.
Die Dame heißt Hedwig Wiesendanck, ist Berufs-

pianistin der mittelmäßigen Begabungsklasse, jedoch Besitzerin fester künstlerischer Prinzipien, die es ihr an sich nicht gestatten, ihre Kunst dem zweifelhaften Publikum schweizerischer Erholungsorte preiszugeben, so wohl ihr auch die dauernde Nötigung einiger seiner Mitglieder bisher getan hat. Heute jedoch gibt sie nach gebührendem Zögern dieser Nötigung nach, denn sie weiß einen gewaltigen Mann in der Halle, einen großen Zunichtemacher aller Grundsätze: Hernando Rosenbarth, den internationalen Impresario, der schon öfters, einer jovialen Laune nachgehend, eine wackere Interpretin aus der Anonymität der lokalen Wohltätigkeitsveranstaltung ins Licht der Schlagzeilen erhoben hat.
Hedwig Wiesendanck öffnet das Klavier. Das Gespräch verstummt, der Mokkalöffel legt sich auf das Untertäßchen. Hedwig spielt zunächst einige Paraphrasen eigener Prägung, die dem zaghaften – und leider eben vergeblichen – Beweis dienen, daß auch der Interpret manches Schöpferische in sich trage. Sie sind streng tonal, ja geradezu klassisch, aber doch so phantasiebegabt, daß die Gäste einander bedeutungsvoll zunicken, was so viel heißt wie: Sieh an! Sie hat's in sich!
Dann spielt sie Chopin, wobei sie, der mimischen Überlieferung gemäß, das Rubato mit innigem Kopfschütteln unterstreicht. Ein paar Gäste verlassen die Halle auf Zehenspitzen, gefolgt von mitleidigen oder ärgerlichen Blicken anderer: Banausen!
Unter gewöhnlichen Umständen hätte auch Rudolf die Halle verlassen; nicht etwa weil er die Musik nicht liebt, sondern weil er sie nur gern hört, wenn es ihm behagt, und er sich seinen Interpreten gern selbst aussucht. Aber

heute bleibt er. Die Pianistin hat einen schönen Rücken; das Spiel der Muskeln und Schulterblätter fasziniert ihn. Als sie geendet hat, geht er auf sie zu; die Blicke derer, die ihn erkannt haben, begleiten ihn.

»Mademoiselle – Sie haben einen schönen Rücken«, sagt er, denn er kann es sich leisten, Umschweife zu übergehen. Hedwig errötet tief. Das außergewöhnliche Kompliment kommt ihr unerwartet. Zudem weiß sie nicht, von wem es kommt. Denn ausübende Musiker sind selten über anderes unterrichtet als über das Wirken anderer ausübender Musiker, ihrer potentiellen Rivalen. Indessen, bevor Hedwig Wiesendanck ihre Fassung wiedergewinnt, hat Westcotte ihr sein Angebot gemacht, und bevor sie ihm antworten kann, hat von der anderen Seite Hernando Rosenbarth ihr ebenfalls ein Angebot gemacht – wobei er freilich die Bedingung stellt, daß sie Westcottes Vorschlag annehme.

Denn Rosenbarth hat Westcotte sofort erkannt, weiß, was er darstellt, und kann seinen Wert in Zahlen ausdrücken. Und so sieht er bereits Hedwig Wiesendanck vor sich, in überfüllten Konzertsälen, den bunten, beweglichen Rücken einem begeisterten Publikum zugewandt.

Am Morgen nach Hedwig Wiesendancks erstem Konzert war sich die Kunstwelt darüber einig, daß Westcotte seinen Höhepunkt erreicht hatte. Eine solche Verkettung visionärer Wucht mit der souveränen Abgeklärtheit beinahe eines Alterswerkes konnte – wie es in den Rezensionen hieß – auch ein Westcotte selbst nicht mehr steigern. Die überlieferten Feststellungen über Bedeu-

tung und Qualität der dargebotenen Etuden, Mazurken und Sonaten wurden auf ein verschwindendes Maß beschränkt, die Interpretation keiner Erwähnung gewürdigt.
Wenige Tage nach dem Konzert lud Hedwig Rudolf zum Tee. Sie saßen in ihrem kleinen geschmackvollen sitting-room, zwischen Blattpflanzen, Franz-Marc-Reproduktionen und handgewebten Kissenbezügen.
»Der Tee ist köstlich«, sagte Rudolf.
»Darjeeling«, sagte Hedwig.
»Aber es ist noch etwas anderes dabei, was ihm dieses besondere Aroma gibt.«
»Das«, sagte Hedwig, »ist Gift.«
Rudolf lehnte sich genießerisch zurück und trank seine Tasse leer. Dann sagte er: »*Ich* habe meine Aufgabe erfüllt. – Ja, ich habe mich letzthin sogar öfters gefragt, ob das, was ich erfüllt habe, wirklich meine Aufgabe gewesen ist, oder ob ich nicht vielleicht zu weit gegangen bin, indem ich der sterblichen Hülle einiger Menschen einen materiellen Wert verliehen habe, der ihr nicht zukommt. – Aber Sie, Fräulein Wiesendanck: Sie hatten doch eine schöne Zukunft vor sich.«
»Ich *habe* sie noch vor mir«, sagte Hedwig mit dem Triumph einer zu unerwartet-prächtiger Blüte erwachten Mauerblume; »das Gift ist nur in Ihrer Tasse. Ich dagegen trete morgen meine erste Tournee um die Welt an: als *einzige* Pianistin mit einem Westcotte auf dem Rücken!«
Rudolf lächelte. »Und wieviel hat er Ihnen dafür bezahlt, daß Sie mich aus der Welt schaffen?«
»Wer?«

»Rosenbarth.«
»Zehntausend.«
»Zu wenig«, sagte Rudolf, stellte die Tasse ab und verschied. Hedwig aber holte ihr Tagebuch aus blauem Leder hervor, um diese beiden letzten Worte eines großen Künstlers für die Ewigkeit festzuhalten. Das Tagebuch dürfte allerdings erst nach ihrem Tode geöffnet werden. Dann würde man ihr, um ihres Rückens willen, den Mord zu verzeihen haben, und neben Westcotte würde sie in die Ewigkeit eingehen. – »Zu wenig«, schrieb sie.
Allein, während sie schrieb, wurde sie sich der Tat und ihrer Motive voll bewußt. Angesichts dieser beiden Worte tauchte ihre ganze grausame Unerfülltheit vor ihrem Innern auf; ihr Dasein, nicht einer Künstlerin, sondern einer Dienerin der Künste, noch nicht einmal groß genug für eine rühmliche Vergänglichkeit; auch die Hand eines Unsterblichen hatte nur ihre sterbliche Hülle veredeln können, und selbst von dieser nur einen der unedleren Teile. »Zu wenig!«
Behutsam goß Hedwig Wiesendanck einige farblose Tropfen in ihre Teetasse. Dann legte sie das totenkopfgeschmückte Fläschchen vorsichtig in Rudolfs Rechte. Wenn man sie so fände, dachte sie, möge man vielleicht denken, Rudolf Westcotte habe mit ihr, Hedwig Wiesendanck, vereint in den Tod gehen wollen. Es war dies ihr letzter, verzweifelter Griff nach einem lang-entschwundenen Traum von Glanz und Erfüllung.
Indessen, dieser Verdacht regte sich bei niemandem, der Rudolfs Bedeutung auch nur erahnt, oder Hedwigs Klavierspiel gehört hatte.

Aus meinem Tagebuch

22. September. Ereignis der Woche: die Ausstellung neuer Bilderrahmen von Mario Molé in der Galerie Kröller. Gestern nachmittag Eröffnung mit Sherry und vorzüglichen Käsestangen. Daß die Rahmen keine Bilder enthielten, wurde auch diesmal von den Anwesenden als selbstverständlich hingenommen. Sie seien – wie es im Katalog hieß – als Objekte in sich so meisterhaft, daß ein Gemälde in ihrer Mitte diese sublime Vollkommenheit stören, den Blick des Beschauers ablenken würde.
Der Rahmen als Selbstzweck: der Satz »l'art pour l'art« vielleicht in der extremsten Form seiner Anwendung. Ein Problem, das über das rein Ästhetische beinah hinauszugehen scheint und über das zweifelsohne in Zukunft auf berufener, und vermutlich auch auf unberufener Seite viel diskutiert werden wird. Der Gedanke erscheint auch mir kühn, reizt jedoch zum Widerspruch, dem ich allerdings im Kreise der Geladenen keinen Ausdruck gab; seine Formulierung will überlegt sein. Nun bin ich freilich auch kein Experte in diesen Dingen.
Das pièce de résistance war Nr. 11: ein horizontaler Stuckrahmen in Altrosa, mit durchgehendem, an den Ecken geballtem Akanthus-Ornament aus Blattgold, leicht patiniert. Molé soll mehrere Jahre daran gearbeitet haben. Konsul Bellroth kaufte ihn, zwischen zwei

Gesprächen, und bestätigte damit aufs neue sein stets wieder überraschend unbeirrbares Gespür für das Erlesene. Der kleine Akt wurde von anerkennendem Murmeln begrüßt. Einige klatschten sogar, was ihn zur symbolischen Manifestation einer gewissen maßvollen Fortschrittlichkeit machte, einer Demonstration schönen, echten Mäzenatentums.

Usteguy hielt die Eröffnungsansprache. Wies auf die Bedeutung des Bilderrahmens für unser Kulturleben hin. Der Bilderrahmen – so sagte er etwa – sei, betrachte man ihn in seinem übertragenen Sinne, eine der verbindenden Seinseinheiten unserer wesensbewußten Welt, als gewissermaßen positives Äquivalent zu der latenten, aber drohenden Schicksalsverlorenheit einer Zeit, die des Gefühls für transzendente Werte verlustig gegangen sei. Großer Applaus, in den auch der Künstler miteinstimmte. Eben das, meinte er später, habe er mit seinen Rahmen sagen wollen (was ich übrigens bezweifle). Nun hat Usteguy zwar, wenn ich mich recht erinnere, in seinem Essay »Vom Sport« ähnliche Gedanken ausgesprochen, und zwar vornehmlich über das Angeln – wie sich doch das Rüstzeug des Philosophen in unserer Zeit vermehrt hat, nicht zu reden von der zunehmenden Anwendbarkeit seiner Thesen! – dennoch ist man von der Vitalität des immerhin Neunundsiebzigjährigen entzückt, gebannt von der faszinierenden und dabei absolut zwingenden Art, in der er seine empirische Betrachtungsweise auf den Bilderrahmen ausdehnt. Er hat ihn erfaßt und durchschaut, wie sonst keiner. Er war von zwei jungen Damen begleitet, denen er sehr zugetan schien.

Habe einen kleinen Rahmen erworben, den ich vielleicht mit einem Stilleben zu füllen gedenke.

25. September. Heute morgen mit der Post zwei Einladungen. Die erste kommt von meiner Bank und hat die Aufforderung zum Kauf fünfprozentiger mündelsicherer Pfandbriefe zum Inhalt. Obgleich ich niemals Miene gemacht habe, dieserart Einladungen Folge zu leisten, lädt mich die Bank mit hartnäckiger Freundlichkeit stets wieder zu diesen oder ähnlichen Transaktionen ein, als mache mich gerade meine Zurückhaltung zu einem Lieblingskunden. Dabei weiß ich noch nicht einmal, ob das Wort »mündelsicher« zu bedeuten hat, daß die Briefe *für* die Mündel oder *vor* den Mündeln sicher sind. Oder ob »mündelsicher« lediglich ein Begriff solider Stabilität ist, wie etwa »feuerfest« oder »wasserdicht«.– Wie dem auch sei: ich habe keine Mündel, die ich mit einer solchen Anschaffung erfreuen oder – je nachdem – brüskieren könnte.
Die andere Einladung kommt vom Vorstand der Deutschen Bartschedelgesellschaft. Ich soll bei der feierlichen Denkmalsenthüllung zum zweihundertsten Todestage Bartschedels am 14. Oktober in Osnabrück die Gedenkrede halten.
Hier dürfte es sich um einen Irrtum handeln. Habe dennoch beschlossen, die Einladung anzunehmen, da ich noch nie bei einer Denkmalsenthüllung zugegen gewesen bin, geschweige denn die Gedenkrede gehalten habe. Diese Gelegenheit also möchte ich gern wahrnehmen, denn es werden wenige Denkmäler enthüllt, heutzutage. Muß mich möglichst bald informieren, wer Bartschedel war.

Morgenspaziergang durch den Park: herbstlich trübe. Der Himmel grau, die Blätter gelb, ein toter Tag, den ein schwacher Kinderwagenverkehr vergeblich zu beleben sucht.
In einem Antiquitätenladen in der Rosenowstraße fand ich das passende Bild für meinen neuerworbenen Rahmen: ein Gemüsestilleben von frischer, unbefangener Zweitklassigkeit, wahrscheinlich ein Niederländer, jedenfalls von altniederländischer Liebe zu prosaischem Detail beseelt. Knollen, Stiele und Blätter metallen-klar, überscharf in den Umrissen, als seien sie aus koloriertem Silberblech, mit dem obligaten Tautropfen; auch das traditionelle Insekt fehlt nicht: es sitzt auf einem Rettich, ist weder Fliege noch Käfer, sondern das Insekt an sich. – Die Oberfläche ist stark gedunkelt, muß sie reinigen.

27. September. Vormittags in der Staatsbibliothek. War etwas erstaunt, Gottfried Willibald Bartschedel als Quacksalber, Astrologen und allgemein betrügerischen Heilsverkünder verzeichnet zu finden, der – wie ich dem Nachschlagewerk entnehmen mußte – seine vom Geist der Aufklärung wohl ein wenig überforderten und daher für den Gegenpol um so empfänglicheren Zeitgenossen nicht übel an der Nase herumgeführt zu haben scheint. Selbstverständlich kam mir sofort der Gedanke, daß diese Angaben dem neueren Stand der Bartschedelforschung nicht mehr entsprächen: immerhin zieren den Briefkopf der Gesellschaft einige Namen, die in unserem Hochschulwesen einen reichen, ja dröhnenden Klang haben, und deren Träger sich gegen die Zumutung, das

Andenken einer zweifelhaften Figur zu pflegen, energisch zur Wehr setzen würden. Andrerseits ist es freilich nicht ausgeschlossen, daß gerade die Ehrenrettung dieser angefochtenen Persönlichkeit Ziel und Anliegen der Gesellschaft ist. Es wird ja heute – und auch gerade von akademischer Seite – viel Ehre gerettet, und dort, wo sie nicht mehr zu retten ist, neu hergestellt. Bartschedel war ein Heilsverkünder, gut, – aber vielleicht war das Heil, das er verkündete, um nichts schlechter als das anderer Männer, denen man Denkmäler gesetzt hat? Wer soll das entscheiden? Jedenfalls will ich meine Rede so allgemein wie möglich halten, denn es gilt, wie schließlich oft im Leben, allen Eventualitäten gerecht zu werden.

Begann heute nachmittag, mit einer Benzin-Terpentin-Mischung mein Gemüsestilleben zu reinigen. Nach einigen Stunden vorsichtigen Reibens begann das Pigment – nicht etwa, wie ich erwartet hatte, sich allmählich aufzuhellen, sondern – zu schwinden, und es erschien darunter die Ölskizze eines Frauenkopfes, zweifelsohne aus der Rubensschule. Nun bin ich kein Freund von Rubens, noch weniger seiner Schule, die das Diesseitig-Fleischliche ihres Vorbilds zwar nicht ohne Pietät, aber mit weit weniger Überzeugungskraft aufgegriffen hat. Zudem paßt in den Molé-Rahmen kein Frauenkopf.

Habe beschlossen, morgen nach Casarina zu fahren, um eine Expertise von Friedensohn einzuholen, ohne die heute kein alter Meister – noch nicht einmal ein alter Schüler – zu verkaufen ist. Vielleicht wird auch der Aufenthalt im Tessin dem Entstehen meiner Bartschedelrede zuträglich sein. Hier komme ich ja doch zu nichts.

29. September, Casarina. Die Luft hier ist noch paradiesisch mild, und so nehme ich die Spuren des Sommers wieder auf, der einem in unseren Regionen stets unter der Hand zu zerrinnen scheint. Nur das Winzerfest, dessen Programm sich alljährlich auf die Wochen der Herbstsaison verteilt, in dessen Rahmen die Möglichkeiten der Traube, als Gegenstand, Nahrungsmittel und Symbol, bis zur Neige ausgekostet werden, erinnert daran, daß auch im Tessin das Jahr im Fallen ist; aber es fällt mit lebensfroher Anmut. Unter den Arkaden dieses malerisch-entworfenen Städtchens am See, voll fachmännisch durchgestalteter Buntheit und Emsigkeit, hält der späte Italienfahrer seinen Wagen an, neigt sich zu seinen Mitfahrern zurück und sagt: »Eigentlich ist es hier italienisch genug – was meint Ihr?« Und die Mitfahrenden meinen es auch, denn hier befinden sie sich noch innerhalb der Grenzen eines vielfach erprobten Paradieses und dazu diesseits der Hygienegrenze.
Es ist Nacht. Ein lauer Wind weht vom anderen Ufer her, über dem San Benedetto wetterleuchtet es, See und Bäume rauschen sanft im Wind: es herrscht die rechte Stimmung, um sich an eine Gedenkrede zu machen. Sie wird so, daß ich sie eventuell auch bei anderen Gelegenheiten halten kann, im Falle ich mich als Nachwuchsbegabung auf diesem Gebiete bewähren sollte. Habe beschlossen, vor allem Usteguys sehr luziden Gedanken aufzunehmen und für die Bartschedel-Deutung anzuwenden: Bartschedels Vermächtnis muß vor allem in der Schicksalsverlorenheit unserer heutigen Zeit, die des Gefühls für transzendente Werte verlustig gegangen ist, als die verbindende Seinseinheit einer wesensbewußteren

Kulturepoche erscheinen. Darin liegt sein großes Verdienst – aber auch eine gewisse Gefahr der Mißdeutung von seiten Unberufener. So weit sein Werk; – und dann eben die Analyse der Persönlichkeit, wobei ich selbstverständlich nicht nur auf eine tragische Spaltung zu sprechen kommen will, sondern auch seine Suche nach dem Mystischen zu streifen gedenke, ohne welche eine Würdigung dieser Art kaum als vollkommen gelten darf. Die Rede wird gut.
Habe heute vormittag Friedensohn angerufen. Sprach mit der Sekretärin, die sagte, »il conte« – ich glaube, Friedensohn ist päpstlicher Graf – dürfe nicht gestört werden. Auf dringendes Geheiß war sie aber doch bereit, mein Gesuch vorzutragen. Mittags rief sie mich an und bat mich, das Bild schicken zu lassen. Außerdem erwarte mich »il conte« nachmittags zum Tee. –

30. September, Casarina. Mein Bild ist kein Rubensschüler, sondern ein früher Rubens, und zwar eine Vorstudie zu seiner »Allegorie des Krieges« aus dem Jahre 1637. Diese Eröffnung machte mir Friedensohn, als er mich in seinem Arbeitszimmer empfing. Ich fragte ihn daraufhin, ob er es kaufen wolle. Er hob abwehrend die Hand und sagte: »Bester Freund, Sie dürften wissen, daß der alte Friedensohn« – mit bescheidenem Lächeln ersetzte er den Adelstitel durch die Andeutung seines Alters und damit gleichsam seiner berüchtigten kennerischen Schlauheit –, »daß der alte Friedensohn ausschließlich toskanische Schule kauft – und auch von der nur das Beste – nur das Beste!« – »Übrigens«, fügte er hinzu und stand auf, »sind mir die Niederländer schon

vom Sujet her zu prosaisch, zu hausbacken.« Er verzog das Gesicht, als habe er einen Bissen gekostet, den er an seiner berühmten Schlemmertafel niemals geduldet hätte.
Dann gingen wir in den Garten, wo unter Akazien und Kastanien, die noch in vollem, prächtigen Grün standen, der Tee serviert wurde. Hier überreichte mir die Sekretärin diskret einen geschlossenen Briefumschlag, auf dessen Rückseite das Friedensohnsche Wappen prangte. Ich habe ihn soeben geöffnet. Er enthält die Rechnung für die Expertise.
Unter den Gästen befand sich auch Usteguy, begleitet von zwei jungen Damen, nicht denselben, die ihn damals bei der Eröffnung begleitet hatten, denen er aber nicht minder zugetan schien. Er kam von einem internationalen Leichtathletikertreffen in Bologna, bei welchem er die Begrüßungsansprache gehalten hatte, war heiter, braungebrannt, und ließ es an gutturalen Äußerungen des Wohlbehagens nicht fehlen. Diese Philosophen verstehen jedenfalls, ihr Leben einzurichten. Darin zumindest kann man viel von ihnen lernen.

4. Oktober. Seit vorgestern wieder zurück. Unmittelbar nach meiner Ankunft habe ich mich darangemacht, meinen Rubens von den letzten Resten des Gemüsestillebens zu reinigen, aber bevor dieses am Rande schwand, begann in der Mitte bereits der Frauenkopf zu weichen, und was nunmehr dahinter erschien, war eine oberbayerische Gebirgslandschaft im Zwielicht des scheidenden Tages. Es handelt sich, wenn mich mein Erinnerungsvermögen für Landschaften nicht täuscht, um die Gegend

von Oberammergau. Ich kann nicht leugnen, daß mich der Tatbestand einer derart unerwarteten Vielschichtigkeit ein wenig ärgerte. Denn ein solches Sujet paßt natürlich noch weniger in Molés Rahmen als ein Frauenkopf.

Habe sofort an Friedensohn geschrieben, ihn über seinen Irrtum aufgeklärt und ihm mitgeteilt, daß ich, unter solchen Umständen, nicht bereit sei, den immerhin erheblichen Preis für die Expertise zu bezahlen.

Ich möchte übrigens wissen, was sich wohl hinter dem »Urteil des Paris« verbirgt, das die Staatsgalerie damals auf Friedensohns Urteil hin angekauft hat. Die Ausmaße dieses Bildes geben jedenfalls zu Vermutungen ungeheuerlicher Panoramen Anlaß, deren malerische Qualität allerdings, wenn sie der meines Bildes gleichkommt, es aus dem Gebiet der Kunst in das der Heimatkunde versetzen würde. – Freilich mögen solche Zweifel übertrieben sein: eine unglückselige Entdeckung wie die meine verleitet zu pessimistischer Sicht in Dingen der Kunstgeschichte.

Gestern abend im Konzert. Wörthwanger dirigierte seine zweite Symphonie. Ich bewundere die Akribie und Werktreue, mit der er sich an die Romantiker von Schubert bis Bruckner gehalten hat, in makelloser Stilreinheit. Nur im letzten Satz, da erschien plötzlich Puccini, was ich als recht stilwidrig empfand, allerdings wohl als einziger; denn der Beifall war groß: als habe ein jeder seinen Lieblingskomponisten wiedererkannt und danke nunmehr dem Interpreten innig für eine tiefe, aber köstlich-schlichte Nachempfindung.

16. Oktober. Gestern aus Osnabrück zurückgekehrt. Meine Rede bei der feierlichen Denkmalsenthüllung war ein großer Erfolg und die mir zuteilgewordene Ehrung als größtem lebenden Bartschedelforscher beinahe beschämend. Es gelang mir, während der Rede meine ängstliche Spannung zu verbergen, denn selbstverständlich erwartete ich jeden Augenblick, mich dem Mann gegenüberzufinden, der die Einladung zu einer Gedenkrede auf Grund seiner tatsächlichen Forschung verdient und somit auch erwartet hatte. Indessen, er blieb aus, und das Rätsel hat sich bisher nicht geklärt. Ich vermute in dem Manne einen Namensvetter, einen eifrigen, unermüdlichen Weltfremdling, der über stiller, nur von einem Häuflein Erlesener anerkannter Forschungsarbeit, nach einem Leben enthaltsamster Zurückgezogenheit, unauffällig verstorben ist, beweint etwa von einer alten Haushälterin, die nicht wußte, an wen sie sich mit der Todesnachricht und den unzähligen Seiten seines beinahe vollendeten Lebenswerkes wenden sollte.
Übrigens handelt es sich, wie ich allerdings erst feststellte, als die Hülle fiel, nicht um Gottfried Willibald Bartschedel, sondern um Christian Theodor Bartschedel, zu welchem ich damals beim Blättern im Nachschlagewerk nicht vorgedrungen war, da ich keinen zweiten Träger dieses Namens vermutet hatte. Ich leugne nicht, daß sich meiner die Empfindung bemächtigte, ein wenig verantwortungslos gehandelt zu haben. Aber ein Blick in die Enzyklopädie heute morgen hat mich beruhigt. Christian Theodor Bartschedels Verdienste sind wesentlich allgemeinerer Natur als die Gottfried Willibald Bartschedels, dessen Errungenschaften ja sehr umstritten

sind und – vermutlich – auch bleiben werden, wie es sich auch für einen Quacksalber, Astrologen und betrügerischen Heilsverkünder geziemt.
Christian Theodor Bartschedel dagegen war ein bedeutender Erzieher und Philanthrop, ein mutiger Vorkämpfer für die sogenannte Allgemeinbildung (der Begriff stammt von ihm), Pionier auf dem Gebiet der Abendkurse, ein Pestalozzi für Erwachsene. Es scheint mir ein Zeichen der Zeit zu sein, daß einen das Leben mit solchen Namen nicht mehr in Berührung bringt.

17. Oktober. Ein Sturm hat gestern nacht die Bäume kahlgefegt und das Grün vor meinen Fenstern in ein Gitterwerk von nackten Ästen verwandelt. Die entscheidenden Veränderungen des Jahres geschehen plötzlich, meist über Nacht. Und so haben denn nun endgültig die Wochen begonnen, da in den Lyrikspalten unserer Zeitungen die Leute mit jenen düsteren Erkenntnissen und trüben Ahnungen zu Worte kommen, denen sie ihre Sinne zu froheren Jahreszeiten blind und wohlgemut verschließen.
Mit der Post zwei Briefe. Der erste von meiner Bank, enthält den Vorschlag einer günstigen Transaktion, der zweite ist von Friedensohn. Er lautet:

Bester Freund,
Sie schreiben mir, daß Sie nach einer Bearbeitung Ihres Bildes unter der Rubens-Skizze eine Gebirgslandschaft entdeckt haben, die, Ihrer Meinung nach, dem zwanzigsten Jahrhundert entstamme, und, wie ich weiterhin Ihren Worten entnehme, nicht zu dem Besten gehört,

was dieses Jahrhundert hervorgebracht hat. Sie bitten mich, in Anbetracht dieses Tatbestandes, Ihnen die Zahlung für die von mir angefertigte Expertise zu erlassen. Nun, ich bin bereit, Ihnen entgegenzukommen, kann Ihnen jedoch eine Rüge nicht ersparen.
Sie haben sich selbst eines Wertgegenstandes beraubt, indem Sie einem – ich möchte sagen, kindlichen – Forschungsdrang nachgegangen sind: der Begier zu wissen, was dahinter steckt. Das war nicht klug von Ihnen. Zudem ist es nicht üblich. Wo wären wir heute, frage ich Sie, wenn wir dem kleinlichen Zweifel einen Platz in unserer Forschung einräumen würden, deren Ziel es ist, die großen Richtungen zu bestimmen und einzuordnen!
Wir Kunstsachverständigen sind dazu da, Wertbegriffe zu wahren und dort, wo sie verlorengegangen sind, aufs neue zu prägen. Ich habe Ihnen mit meinem Urteil einen Wertgegenstand in die Hand gegeben, welchen zu bewahren in Ihrem eigenen Interesse gelegen hätte. Anstatt dessen haben Sie auf eigene Faust geforscht, indem Sie die Pigmentschicht heruntergewaschen haben. Und nun beklagen Sie sich bei mir darüber, daß unter ihr, an Stelle von nackter Leinwand, eine Gebirgslandschaft erschienen ist. Seien Sie mir nicht böse, lieber Freund, aber das ist wirklich nicht meine Schuld.
Mit den besten Grüßen

Francesco Friedensohn

Mit weltmännischer Bescheidenheit hat er auch hier seinen Titel unerwähnt gelassen. Übrigens ist mir der Tenor dieses Briefes nicht ganz verständlich: ich habe mich ja gar nicht bei ihm beklagt. Es läge mir fern, mich etwa beim alten Friedensohn beklagen zu wollen, der schließlich – wie auch Usteguy oder Wörthwanger – zum Bestand der grand old men unserer Kultur gehört.

Das Gastspiel des Versicherungsagenten

Wer jemals den Pianisten Frantisek Hrdla gehört hat, wird diesen ungeheuren Eindruck niemals vergessen (selbst wenn er es versucht). Auf Grund seines hinreißenden Temperaments und seiner virtuosen Technik haben ihn die großen Kritiker des Jahrhunderts mit Anton Rubinstein verglichen, und Eduard Watznik, der Nestor der Musikschriftsteller – er ist heute 104 Jahre alt, ist aber, wenn er auch hin und wieder Opuszahlen verwechselt, durchaus noch auf der Höhe seines rezeptiven Vermögens – Watznik also hat einmal ausgerufen: »Schließt man die Augen, so vermeint man Liszt zu lauschen!« In London und Kairo, Paris und Williamsburgh (Pa.), überall braust diesem Gottbegnadeten frenetischer Beifall entgegen, sobald sein letzter Ton verklungen ist. Dann erhebt er sich, langsam, völlig verausgabt, aber bescheiden: ein Diener nur am Werke des Komponisten. Er verbeugt sich tief, wobei, wie man sagt, ein müdes Lächeln um seine Mundwinkel spielt. Ein echter Künstler, denkt der unbefangene Konzertbesucher, ein wahres Lieblingskind der Musen! Nur einige wenige, darunter ich, sein Jugendfreund, wissen um seine Tragik, die Ursache seines müden Lächelns: Hrdla ist ein verhinderter Versicherungsagent.
Frantisek Maria Hrdla entstammt einer Musikerfamilie.

Sein Vater war ein gesuchter Musikpädagoge, der sich durch seine Bearbeitung der Klassiker zu vier Händen unschätzbare Verdienste um die Hausmusik erworben hat. (Als Komponist war er freilich nicht mehr als »tüchtig«, und seine Symphonien sind heute vergessen.) Seine Mutter war eine der sechs Töchter des Johann Nepomuk Hummel, hat sich aber als Harfenistin eine durchaus eigene Stellung im Musikleben erobert.
Der kleine Frantisek wurde, kaum der Wiege entwachsen, auf den Klavierschemel gesetzt, hatte bereits im Alter von vier Jahren den »fröhlichen Landmann« hinter sich, und vier Jahre später konnten ihm die Samthöschen des Wunderkindes angemessen werden. Diese beängstigende Entwicklung wurde plötzlich zum Stehen gebracht: durch einen Zufall lernte der junge Frantisek einen Versicherungsagenten kennen, der in dem Zehnjährigen ein tiefes Interesse für das Versicherungswesen wachzurufen verstand.
Nun begann der Konflikt, dessen Ausmaße nur derjenige Leser überblicken kann, dessen eigenes Jugendschicksal der Kampf um ein fernes Ideal gegen einen verständnislosen und unerbittlichen Vater war. Nicht ohne tiefe Anteilnahme vergegenwärtigt man sich die zermürbenden Schuldgefühle des jungen Menschen, der sich heimlich mit Agenten und Statistikern treffen mußte, da der allzu gestrenge Vater ihm den Verkehr mit Vertretern solcher Gewerbe untersagt hatte. Und dennoch: wie Frantisek mir später einmal gestanden hat, gehört die Zeit, zu der er nachts unter der Bettdecke Baumgartners »Gerichtspraxis in Versicherungssachen« las und seinen eigenen – übrigens recht hübschen –

Versuch »Kapitalreserve und Umlagesystem« schrieb, zu den glücklichsten Perioden seines Lebens.
Aber kein Mensch mit wirklicher Sensibilität hält eine solche dauernde Anforderung an seine Widerstandskraft aus. Besiegt und entmutigt mußte sich der junge Frantisek seinem Schicksal fügen und trat bald seinen Triumphzug durch die Welt an, auf dem er bis heute nichts als Lorbeeren geerntet hat. Für lange Zeit verlor ich ihn aus den Augen, aber oft, wenn ich sein Bild in der Zeitung sah, schien es mir, als hafte diesem müden Blick ein Zug schmerzlicher Entsagung an, eine tiefe Sehnsucht nach einem lang entschwundenen Ideal.
Gestern nun habe ich den von einer Auslandstournee Heimgekehrten zum erstenmal seit Jahren wieder gehört: er spielte das neunte Klavierkonzert von Malinczewsky, welches, ebenso wie die vorhergehenden acht Konzerte, Hrdla gewidmet ist. Er spielte es so göttlich, daß wildfremde Menschen einander die Hände schüttelten und selbst mir hartgesottenem Sachverständigen die Träne aus dem Auge trat.
In der Pause, vor der Eroika, bahnte ich mir mit meinem Regenschirm den Weg durch den erregten Schwarm der Autogrammjäger ins Künstlerzimmer. Mein Freund Frantisek saß gealtert, müde und abgekämpft zwischen Lorbeerkränzen, die er mit abwesender Miene zerpflückte. Ich ging auf ihn zu, küßte ihn auf beide Wangen und sagte, sein Spiel sei eine Offenbarung gewesen. Er fragte kühl, ob ich etwa etwas anderes erwartet habe. Nur so, rief ich aufgeregt, dürfe man Malinczewsky spielen. Es sei Unsinn, zu behaupten, dieser Komponist verlange kein Rubato und keinen Tempo-

wechsel. Der karge Anschlag, die übertriebene Motorik der sogenannten sachlichen Pianistenschule ... Aber er hörte mir nicht zu, sondern sah mich von der Seite an. Ich stockte. War dies der lauernde Blick des Versicherungsagenten auf ein neues Risiko? Ein wenig verwirrt redete ich weiter, über die seltene Kombination von brillanter Technik und wahrem Espressivo. Es ließ ihn kalt.
Ich hatte das Gefühl, in den Wind geredet zu haben, stand ernüchtert auf, schüttelte ihm nochmals die Hand und wollte mich entfernen, um den wachsenden Ansturm der Autogrammsammler freie Bahn zu geben. Da fragte er mit behutsamer Gelassenheit: »Sag mal, mein Lieber, bist Du eigentlich versichert?«
Etwas heiser gab ich zu, daß ich es nicht sei.
Seine Augen leuchteten auf; er wurde wach und angeregt. Mit einem Sprung war er beim Tisch und entnahm der Schublade einige Policen: bevor ich »Eroika« sagen konnte, hatte er mich gegen Mord, Unfall, Hagel und Nebel und alle Katastrophen, Untaten und höhere Gewalten, gegen die man versichert sein kann, versichert. Ich werde diese Minuten niemals vergessen: seine großartige Rednerkunst und sein warmes Pathos kamen tatsächlich der ursprünglichen Kraft seiner Pianistik gleich. Die unterschriebene Police in der Hand, verabschiedete ich mich. Er rief mir nach: »Schick mir die Autogrammsammler herein!« und zog einen dicken Stoß Papiere aus der Schublade. Ich sage es nicht gern: aber der letzte Blick, den er mir zuwarf, kam einem Grinsen gleich.
Ein seltsamer Mensch, dachte ich während der Eroika; wahrhaftig, eine Doppelbegabung von nicht alltäglichen Ausmaßen.

Warum ich mich in eine Nachtigall verwandelt habe

Ich habe mich aus Überzeugung in eine Nachtigall verwandelt. Da weder die Beweggründe noch der Entschluß zu einer derartigen Tat in den Bereich des Alltäglichen gehören, denke ich, daß die Geschichte dieser Metamorphose erzählenswert ist.
Mein Vater war Zoologe und verbrachte sein Leben damit, ein mehrbändiges – in Fachkreisen gerühmtes – Werk über Lurche zu schreiben, da er die Literatur auf diesem Gebiet für unzulänglich, teilweise fehlerhaft hielt. Mich hat, vielleicht zu Unrecht, diese Arbeit niemals wirklich interessiert, obgleich es bei uns zu Hause viele Frösche und Molche gab, deren Lebensart und Entwicklung ein Studium gerechtfertigt hätten.
Meine Mutter war vor ihrer Heirat Schauspielerin gewesen und hatte ihren Höhepunkt mit der Darstellung der Ophelia am Landestheater in Zwickau erreicht, diesen Höhepunkt aber niemals überschritten. Dieser Tatsache habe ich es wohl zu verdanken, daß ich Laertes genannt wurde, ein zwar wohlklingender, aber ein wenig weithergeholter Name. Dennoch war ich ihr dankbar, daß sie mich nicht Polonius oder Güldenstern genannt hat, obwohl es jetzt natürlich gleichgültig ist.
Als ich fünf Jahre wurde, schenkten mir meine Eltern einen Zauberkasten. Ich lernte also gewissermaßen

zaubern – wenn auch in kindlich-begrenztem Maße – bevor ich lesen und schreiben gelernt hatte. Mit den in diesem Kasten enthaltenen Pulvern und Instrumenten konnte man farbloses Wasser in rotes und wieder zurück in farbloses Wasser verwandeln, oder man konnte ein hölzernes Ei durch einfaches Umstülpen enthalben, bei welchem Prozeß die andere Hälfte spurlos verschwand; man konnte ein Tuch durch einen Ring ziehen, wobei das Tuch die Farbe wechselte, kurz es war nichts in dem Kasten enthalten, was, wie es bei den meisten Spielzeugen der Fall ist, eine Miniatur der Wirklichkeit dargestellt hätte, ja, die Hersteller dieser Phantasiewerkzeuge schienen es darauf angelegt zu haben, den erzieherischen Sinn in keiner Weise zu berücksichtigen und das erwachende Gefühl für das Nützliche zu unterdrücken. Diese Tatsache hat einen entscheidenden Einfluß auf meine spätere Entwicklung ausgeübt, denn das Vergnügen an der Verwandlung eines nutzlosen Gegenstandes in einen anderen nutzlosen Gegenstand hat mich gelehrt, das Glück auf dem Wege der wunschlosen Erkenntnis zu suchen. Gefunden habe ich dieses Glück allerdings vor meiner Verwandlung nicht.
Zunächst jedoch wurde mein Ehrgeiz angestachelt. Bald genügte mir mein Zauberkasten nicht mehr, denn ich konnte inzwischen lesen und las auf dem Deckel die entwürdigende Aufschrift »Der kleine Zauberkünstler«.
Ich erinnere mich noch des Nachmittags, als ich zu meinem Vater ins Arbeitszimmer kam und ihn bat, er möge mir Zauberunterricht erteilen lassen. Er war versunken in die Welt der Lurche und sah mich abwesend an. Ich

trug meine Bitte vor; er willigte sofort ein. Ich kann mich des Eindrucks nicht erwehren, daß er dachte, es handle sich um Klavierunterricht, was auch daraus hervorgeht, daß er mich einige Zeit danach fragte, ob ich schon Czerny-Etuden spiele. Ich bejahte diese Frage, denn ich war sicher, daß ich meine Behauptung nicht zu beweisen haben würde.

Ich nahm also Zauberunterricht bei einem Künstler, der auf mehreren Varietébühnen unserer Stadt auftrat und übrigens auch, wie ich seinen Reden entnahm, Erfolge in London und Paris zu verzeichnen hatte, und war nach einigen Jahren – ich besuchte inzwischen die höhere Schule – so weit, daß ich Kaninchen aus einem Zylinderhut hervorzaubern konnte. Ich gedenke meiner ersten Vorstellung, die ich im Eltern- und Verwandtenkreise gab, mit Vergnügen. Meine Eltern waren stolz auf meine Fähigkeit, die ich mir sozusagen am Rande erworben hatte und die ich in Zukunft wohl an Stelle von Hausmusik neben meinem zukünftigen Beruf – von dem sie keine bestimmte Vorstellung hatten – ausüben würden. Aber ich hatte andere Pläne.

Meinem Lehrmeister war ich entwachsen und experimentierte von nun ab für mich selbst. Über dieser Tätigkeit aber vernachlässigte ich meine allgemeine Bildung nicht. Ich las viel und verkehrte auch mit Schulfreunden, deren Werdegang ich beobachtete. Einer zum Beispiel, dem man in seiner Jugend eine elektrische Eisenbahn geschenkt hatte, bereitete sich auf die Laufbahn eines Bahnbeamten vor, ein anderer, der mit Bleisoldaten gespielt hatte, ergriff die Offizierskarriere. So wurde durch frühe Beeinflussung der allgemeine Nachschub

geregelt, und ein jeder ergriff seinen Beruf, oder vielmehr der Beruf ergriff ihn. Aber ich gedachte, mein Leben nach anderen Gesichtspunkten einzurichten.
Hier möchte ich einfügen, daß ich bei den Entscheidungen, die ich im Lauf der nächsten Jahre traf, nicht etwa von dem Gedanken geleitet wurde, in den Augen anderer als exzentrisch oder gar als ein Original zu gelten. Es war vielmehr die wachsende Erkenntnis, daß man nicht schlechthin im bürgerlichen Sinne einen Beruf ergreifen könne, ohne dabei seinen Mitmenschen auf irgendeine Weise ins Gehege zu kommen. Deshalb erschien mir auch die Beamtenlaufbahn als besonders unmoralisch. Aber selbst andere, als menschenfreundlicher geltende Berufe verwarf ich. In diesem Lichte schien mir selbst die Tätigkeit eines Arztes, der durch seinen Eingriff Menschen das Leben retten konnte, zweifelhaft, denn es mochte sich bei dem Geretteten um einen ausgemachten Schurken handeln, dessen Ableben von Hunderten von unterdrückten Kreaturen sehnlichst herbeigewünscht wurde.
Zugleich mit dieser Erkenntnis kam ich noch zu einer andern, nämlich der, daß die Tatsachen nur von dem augenblicklichen Stand der Dinge abgelesen werden können, es also müßig sei, aus ihnen irgendwelche Schlüsse ziehen oder Erfahrungen sammeln zu wollen. Ich beschloß daher, mein Leben untätig zu verbringen und über nichts nachzudenken. Ich schaffte mir zwei Schildkröten an, legte mich auf einen Liegestuhl und beobachtete die Vögel über mir und die Schildkröten unter mir. – Das Zaubern hatte ich aufgegeben, denn es hatte Vollkommenheit erreicht. Ich fühlte, daß ich in der Lage

sei, Menschen in Tiere zu verwandeln. Von dieser Fähigkeit machte ich keinen Gebrauch, denn ich glaubte, einen derartigen Eingriff in das Leben eines anderen nicht rechtfertigen zu können.
In diese Zeit nun fällt das erste Auftreten meines Wunsches, ein Vogel zu sein. Zuerst wollte ich mir diesen Wunsch nicht recht eingestehen, denn er bedeutete gewissermaßen eine Niederlage: es war mir also noch nicht gelungen, mich wunschlos an der reinen Existenz der Vögel zu erfreuen; mein Gefühl wurde von der Sehnsucht getrübt. Trotzdem war ich schwach genug, mit dem Gedanken an die Verwirklichung zu spielen, ja, ich war sogar stolz, in der Lage zu sein, meinem Wunsch willfahren zu können, wenn und sobald es mir beliebe; es bedürfte lediglich noch einer Probe meiner Kunst.
Diese Gelegenheit bot sich bald. Eines Nachmittags – ich lag im Garten und beobachtete meine Schildkröten – besuchte mich mein Freund, Dr. Werhahn. Er war Zeitungsredakteur. (Man hatte ihm in seiner Jugend eine Druckmaschine geschenkt.) Er legte sich auf den Liegestuhl neben mich und fing an zu klagen, zuerst über die Bösartigkeit des Zeitungslesers und dann über die Unzulänglichkeit des heutigen Journalismus. Ich sagte nichts, denn Leute lassen sich beim Klagen nicht gern unterbrechen. Schließlich kam er zum Ende, indem er sagte: »Ich habe es satt«, und als eine von meinen Schildkröten unter seinem Liegestuhl hervorkroch, sagte er noch: »Ich wollte, ich wäre eine Schildkröte«. Dies waren seine letzten Worte, denn ich nahm meinen Zauberstab und verwandelte ihn. Mit Dr. Wehrhahns journalistischer Karriere war es damit vorbei, sein Leben aber

ist durch diese Verwandlung wahrscheinlich verlängert worden, denn Schildkröten werden sehr alt. Für mich aber war es ein Erfolg. Zudem hatte ich jetzt drei Schildkröten. (Um jeglichem Verdacht vorzubeugen, möchte ich hiermit versichern, daß ich die anderen beiden Tiere als solche gekauft hatte.)
Vor meiner eigenen Verwandlung habe ich meine Kunst noch einmal angewandt. An diese Gelegenheit denke ich nicht ohne gewisse Unruhe, denn ich bin mir nicht ganz im klaren, ob ich damals zu Recht gehandelt habe.
Eines Nachmittags im Juni – ich hatte den Tag auf dem Lande verbracht – saß ich im Garten eines Gasthofes unter einer Linde und trank ein Glas Apfelmost. Ich freute mich des Alleinseins. Aber bald betrat eine Schar von fünf jungen Mädchen den Garten, die sich an den Tisch neben dem meinen setzten. Die Mädchen sahen frisch und nett aus, aber ich war über die Störung ungehaltener und wurde noch ungehaltener, als sie zu singen begannen, wobei eine von ihnen den Gesang auf der Mandoline begleitete. Zuerst sangen sie »Muß i denn, muß i denn zum Städtle hinaus«, und dann:

Wenn ich ein Vöglein wär
Und auch zwei Flügel hätt'
Flög ich zu dir.

Dieses Lied habe ich immer als ziemlich dumm empfunden, zumal da die zwei Flügel ohnehin der natürliche Zubehör eines Vogels sind. Aber hier war es der darin geäußerte Wunsch, ein solcher zu sein, der mich dazu

antrieb, dem Gesang ein Ende zu machen und die Sängerinnen in einen Schwarm von Spatzen zu verwandeln. Ich ging zu ihrem Tisch und schwang meinen Zauberstab, was für einen Moment so ausgesehen haben mag, als wolle ich dieses Quintett dirigieren, aber nicht lang, denn fünf Spatzen erhoben sich und flogen kreischend davon. Nur fünf halbleere Biergläser, ein paar angegessene Butterbrote und die heruntergefallene Mandoline – ein Stilleben, das mich ein wenig bestürzte – zeugten davon, daß hier noch vor wenigen Sekunden volles, junges Leben im Gange gewesen war.
Angesichts dieser Verwüstung überkam mich ein leichtes Gefühl der Reue, denn ich dachte, daß die Sehnsucht, ein Vogel zu sein, vielleicht mit dem Singen des Liedes doch nicht unmittelbar und eindeutig ausgedrückt sei, und daß außerdem die Wendung: »Wenn ich ein Vöglein wär« eben doch nicht unbedingt den Wunsch, ein solches zu sein, bedeutete, obwohl es natürlich die Tendenz des Liedes ist (soweit man bei einem solchen Lied von einer Tendenz reden kann). Ich hatte das Gefühl, als habe ich im Affekt gehandelt, unter dem Einfluß meiner – übrigens gewiß berechtigten – Unlust. Das empfand ich als meiner nicht würdig, und deshalb beschloß ich, auch mit meiner eigenen Verwandlung nun nicht mehr länger zu zögern. Ich möchte betonen, daß es nicht die Angst vor den Konsequenzen meiner Tat, etwa einer gerichtlichen Verfolgung, war, die mich bewog, endlich andere Gestalt anzunehmen. (Wie leicht hätte ich schließlich bei meiner Verhaftung die Kriminalbeamten in Zwergpintscher oder ähnliches verwandeln können!) Es war vielmehr die Gewißheit, daß ich

aus technischen Gründen nie zu der ungestörten Ruhe kommen würde, die ich zum reinen, vom Willen nicht getrübten Genuß der Dinge benötigte. Irgendwo würde immer ein Hund bellen, ein Kind schreien oder ein junges Mädchen singen.

Die Wahl der Gestalt einer Nachtigall war nicht willkürlich. Ich wollte ein Vogel sein, weil mich der Gedanke, von einem Baumwipfel zum anderen fliegen zu können, sehr lockte. Dazu wollte ich singen können, denn ich liebte Musik. Den Gedanken, daß ich selbst nun derjenige sein könne, der in das Leben eines andern eingreift, indem er ihn im Schlafe stört, habe ich natürlich erwogen. Aber nun, da ich selbst kein Mensch mehr bin, liegen mir der Menschen Gedankengänge und Interessen fern. Meine Ethik ist die Ethik einer Nachtigall.

Im September vorigen Jahres begab ich mich in mein Schlafzimmer, öffnete das Fenster weit, verzauberte mich und flog davon. Ich habe es nicht bereut.

Jetzt ist es Mai Es ist Abend und es dämmert. Bald wird es dunkel sein. Dann fange ich an zu singen oder, wie die Menschen es nennen, zu schlagen.

Die Dachwohnung

Seit mehreren Monaten suchte Martin nach einer Wohnung, die seinen zwar nicht hohen, aber doch sehr bestimmten Ansprüchen genügen sollte. Er hatte allmählich seinen ganzen Tageslauf dieser Wohnungssuche angepaßt, seine regelmäßige Beschäftigung aufgegeben und ein paar dringende Familiensachen, die noch vor einiger Zeit einer sofortigen Bearbeitung bedurft hätten, so vernachlässigt, daß es nun sinnlos geworden war, sich ihrer noch anzunehmen und er sie deshalb getrost ihrem Schicksal überlassen konnte. Längst war die Wohnungssuche Selbstzweck geworden, eine Routinearbeit, bei der das Objekt zwar gewechselt, die Durchführung aber immer die gleiche bleibt. Er verließ morgens das Haus, besuchte Agenten, besah Bauplätze und Häuser und kam abends nach Hause; es war, als gehe er einem normalen Berufe nach. Die Dringlichkeit der Sache wurde jedoch dadurch vermindert, daß er sich der Notwendigkeit verbesserter Wohnverhältnisse nicht mehr bewußt war, denn er nutzte seine augenblickliche Wohnung infolge Zeitmangels nicht eigentlich aus. Wie es so oft im Leben ist, war es auch bei ihm: man sucht nach etwas und vergißt während der Suche das Gesuchte.

In einem der Momente aber, in welchen er sich seiner ursprünglichen Absicht mit besonderer Klarheit erinnerte, fand er das Geeignete. Er war eine völlig zerstörte Straße entlang gegangen, um sich ein Haus zu besehen, dessen Adresse er von einer Agentur erhalten hatte. Als er dorthin gelangte, sah er, daß es nicht mehr war als eine Ruine, ein Gerüst mit einigen vertikalen Betonpfeilern und Stahlstützen, die aber nur noch in der Mitte des ehemaligen Gebäudes ihre vollständige Länge hatten, und einigen Querstreben, die diese Stützen zusammenhielten. Das Skelett war unvollständig, das Fleisch fehlte ganz. Von einem Haus also, im eigentlichen Sinne, konnte nicht die Rede sein. Martin rief den Agenten an, teilte ihm diesen Tatbestand mit und fragte, ob da nicht ein Irrtum vorliege. Aber dieser sagte, ein Irrtum liege nicht vor, es handle sich um die richtige Adresse; in diesem Falle nämlich vermittle die Agentur nur den Luftraum, eine Wohnung müsse er sich selbst ausbauen; der Mietpreis sei ja – wie er zugeben müsse – außerordentlich niedrig. Martin gab es zu, und nachdem er sich die Angelegenheit gründlich überlegt hatte, beschloß er, den Luftraum für die Dachwohnung zu mieten, und zwar allen Zweifeln, die ein ihm bekannter Architekt äußerte, zum Trotz. Das Gerüst sei nicht tragfähig, sagte dieser, das Wohnen auf solch ungenügenden Fundamenten sei nicht sicher. Martin sagte, daß überhaupt nichts sicher sei. Auf die Entgegnung, daß man aber innerhalb der allgemeinen Unsicherheit die Möglichkeit habe, einem abwendbaren Unglücksfall vorzubeugen, antwortete Martin nicht, denn die Meinung des Architekten interessierte ihn nicht.

Um den Fußboden legen zu können, mußte die Grundkonstruktion – soweit man etwas in der Luft Schwebendes als eine solche bezeichnen kann – mit langen Balken vom Erdboden aus gestützt werden. Dieser ungewöhnliche Anblick veranlaßte öfters Passanten stehenzubleiben und ihr völliges Unverständnis in ihren Mienen und manchmal auch in Worten auszudrücken. Sonst aber ging der Bau auf normale Weise vor sich. Das Hinaufziehen der Materialien machte zwar anfangs Schwierigkeiten, aber sie wurden bald durch den tüchtigen Baumeister behoben, der sich auf Aufträge außerhalb des Alltäglichen zu verstehen schien. Die Wohnung wuchs, zuerst der Fußboden, dann Wände und Zimmerdecken und zuletzt darüber das leicht abgeschrägte Dach. Dann kamen Fenster und Türen. Die Wohnungstür führte ins Freie, und man trat durch sie von der letzten Sprosse einer Strickleiter, so daß man, umgekehrt, die Wohnung rückwärts verlassen mußte, um sofort einen festen Fußhalt zu finden.

Der erste einer Reihe von Zwischenfällen ereignete sich, als der Möbeltransport kam. Als nämlich Martins großer Schreibtisch am Seil hing, geriet dieses in Schwingung und schlug gegen eine der Stahlstützen. Der Schreibtisch, ein Erbstück zwar, aber ein zweckdienliches Möbel, blieb unversehrt, nicht aber die Stütze, die wie eine Zuckerstange zersplitterte. Die anwesenden Arbeiter und Passanten schauten gebannt zur Wohnung hinauf. Man erwartete wohl, daß sie, wie eine reife Frucht, vom Gerüst falle, aber nichts dergleichen geschah. Die Wohnung bewegte sich nicht. Der Schreibtisch wurde hinaufgezogen, durch das Fenster in die Wohnung gehoben, und das Verladen der weiteren Möbel verlief ereignislos.

Martin selbst war einen Moment lang erschrocken, hatte aber seine Fassung bewahrt und behauptete auch nachher Leuten gegenüber, die ihn mit dem Satz: »Na, das ist ja noch mal gut gegangen« beglückwünschten, er habe nie daran gezweifelt, daß seine Wohnung den Verlust einer Stütze aushalten werde.
Das nächste, zwar weniger bedenkliche, aber doch gleichartige Ereignis nahm er allerdings schon mit wirklicher Gelassenheit hin. Bei dieser Gelegenheit kam ein junges Ehepaar, um – wie sie sich ausdrückten – ihn in seiner neuen Behausung aufzusuchen. Sie wollten vorher einige photographische Aufnahmen machen, zu welchem Zweck die Frau in ungezwungener Pose oben auf der Strickleiter stehen sollte. Als aber alles bereit war und der Mann sich an eine Stahlstütze lehnte, um den Apparat ruhiger halten zu können, fielen aus den oberen Querstreben einige harte Betonbrocken heraus, die ihm beinahe die Kamera aus der Hand gerissen hätten. Über diesen Vorfall war er so wütend, daß er auf eine Aufnahme verzichtete, seine ebenfalls empörte Frau zu sich herunterrief und mit ihr wegging, nachdem er Martin, der sich den Verlauf der Dinge vom Fenster aus ansah, zugerufen hatte, daß ihr Freundschaftsverhältnis als abgebrochen zu betrachten sei. Martin trug zwar an dem Vorfall keine Schuld, hielt es aber für sinnlos, diesen Umstand zu erwähnen. Er nahm die Kündigung lächelnd zur Kenntnis und zog mit vergnügter Gelassenheit die Strickleiter hinauf. Wie glücklich, dachte er, ist doch eine Ehe, in welcher die Reaktionen der Partner so schön aufeinander abgestimmt sind.
Der erste der beiden langen Betonpfeiler brach bei dem

Besuch von Martins Tante. Sie kam eines Tages, begrüßte ihn von unten und teilte ihm mit, sie habe ihm kein Einzugsgeschenk mitgebracht, da sie (im stillen) zu sich gesagt habe, daß bei einer solchen Wohnung jedes neue Stück das Gleichgewicht gefährde und deshalb als Ballast zu betrachten sei. Martin rief ihr zu, daß er diese Erwägung für durchaus vernünftig halte, daß er auch aus diesem Grunde seine Gäste nicht bewirte, denn eine zu volle Speisekammer sei ebenso gefährlich wie zu volle Mägen der Gäste, obgleich sich nach Nahrungsaufnahme das Gewicht natürlicherweise besser verteile. Nach dieser Einleitung warf er ihr die Strickleiter hinunter, aber sie entglitt der alten Dame und schlug gegen einen der beiden Pfeiler. Er zerbröckelte wie ein trockener Sandklumpen. Der morsche Beton rieselte in kleinen Strömen herab, und was vor wenigen Sekunden noch eine Säule gewesen war, war jetzt ein Haufen. Die Tante enteilte, ohne sich umzusehen, die Strickleiter pendelte hin und her, aber die Wohnung stand; nunmehr auf einem Betonpfeiler und auf einer Stahlstütze.
Der Pfeiler wurde von Martins Freund Robert zertrümmert. Er war der einzige gewesen, der es noch gewagt hatte, nicht nur die Wohnung zu betreten, sondern auch, ungeachtet der immer drohenden Gefahr, sich dort aufzuhalten. Zuerst allerdings war seine Unbefangenheit gekünstelt gewesen, aber dann hatte er sich an die heikle Lage gewöhnt und diesen Zustand eines Abends von sich aus erwähnt, indem er in Frage stellte, ob die Wohnung zusammenbrechen werde, wenn auch der zweite Pfeiler falle. Martin, dessen Auftreten in den letzten Wochen eine gewisse Überlegenheit gewonnen

hatte, antwortete lächelnd, er solle es doch versuchen und drückte ihm einen Hammer in die Hand. Robert kletterte hinunter und zertrümmerte den Pfeiler mit einem mittelstarken Hammerschlag. Danach wagte er sich nicht mehr hinauf, und Martin mußte ihm seinen Hut hinunterwerfen, den er, in Voraussicht der kommenden Dinge, von der Garderobe geholt hatte. Robert legte den Hammer hin, rieb den Betonstaub von den Händen, setzte den Hut auf und ging.

Noch in derselben Nacht machte sich Martin an das Zerschlagen der letzten Stahlstütze und damit des einzigen Haltes, der seine Wohnung mit dem Erdboden verband. Es war nicht Neugier, die ihn dazu veranlaßte, denn er glaubte längst zu wissen, daß seine Wohnung nicht auf den morschen Trägern ruhe, die das Schicksal willkürlich stehengelassen hatte. Er wollte sich vielmehr dieses einzigen Haltes entledigen, der nur noch Schein war und optisch geradezu lächerlich wirkte. Er dachte, daß nun erst die Wohnung das Ansehen erhabener Sicherheit erhalten werde, als sei sie von unsichtbaren Händen getragen. Er kletterte hinunter, legte mit ruhiger Zuversicht die Hände an den letzten Träger und knickte ihn wie eine Blume.

Er hatte keine Zeit mehr, sich seines fatalen Irrtums bewußt zu werden. Das Dach sackte zusammen, die Mauern stürzten ein und schlugen den Fußboden in Stücke. Die zertrümmerte Wohnung fiel beinahe als ganzes Stück und begrub Martin unter Staub und Trümmern.

Eine größere Anschaffung

Eines Abends saß ich im Dorfwirtshaus vor (genauer gesagt, hinter) einem Glas Bier, als ein Mann gewöhnlichen Aussehens sich neben mich setzte und mich mit gedämpft-vertraulicher Stimme fragte, ob ich eine Lokomotive kaufen wolle. Nun ist es zwar ziemlich leicht, mir etwas zu verkaufen, denn ich kann schlecht nein sagen, aber bei einer größeren Anschaffung dieser Art schien mir doch Vorsicht am Platze. Obgleich ich wenig von Lokomotiven verstehe, erkundigte ich mich nach Typ, Baujahr und Kolbenweite, um bei dem Mann den Anschein zu erwecken, als habe er es hier mit einem Experten zu tun, der nicht gewillt sei, die Katze im Sack zu kaufen. Ob ich ihm wirklich diesen Eindruck vermittelte, weiß ich nicht; jedenfalls gab er bereitwillig Auskunft und zeigte mir Ansichten, die das Objekt von vorn, von hinten und von den Seiten darstellten. Sie sah gut aus, diese Lokomotive, und ich bestellte sie, nachdem wir uns vorher über den Preis geeinigt hatten. Denn sie war bereits gebraucht, und obgleich Lokomotiven sich bekanntlich nur sehr langsam abnützen, war ich nicht gewillt, den Katalogpreis zu zahlen.
Schon in derselben Nacht wurde die Lokomotive gebracht. Vielleicht hätte ich dieser allzu kurzfristigen Lieferung entnehmen sollen, daß dem Handel etwas

Anrüchiges innewohnte, aber arglos wie ich war, kam ich nicht auf die Idee. Ins Haus konnte ich die Lokomotive nicht nehmen, die Türen gestatteten es nicht, zudem wäre es wahrscheinlich unter der Last zusammengebrochen, und so mußte sie in die Garage gebracht werden, ohnehin der angemessene Platz für Fahrzeuge. Natürlich ging sie der Länge nach nur etwa halb hinein, dafür war die Höhe ausreichend; denn ich hatte in dieser Garage früher einmal meinen Fesselballon untergebracht, aber der war geplatzt.
Bald nach dieser Anschaffung besuchte mich mein Vetter. Er ist ein Mensch, der, jeglicher Spekulation und Gefühlsäußerung abhold, nur die nackten Tatsachen gelten läßt. Nichts erstaunt ihn, er weiß alles, bevor man es ihm erzählt, weiß es besser und kann alles erklären. Kurz, ein unausstehlicher Mensch. Wir begrüßten einander, und um die darauffolgende peinliche Pause zu überbrücken, begann ich: »Diese herrlichen Herbstdüfte...« – »Welkendes Kartoffelkraut«, entgegnete er, und an sich hatte er recht. Fürs erste steckte ich es auf und schenkte mir von dem Kognak ein, den er mitgebracht hatte. Er schmeckte nach Seife, und ich gab dieser Empfindung Ausdruck. Er sagte, der Kognak habe, wie ich auf dem Etikett ersehen könne, auf den Weltausstellungen in Lüttich und Barcelona große Preise, in St. Louis gar die goldene Medaille erhalten, sei daher gut. Nachdem wir schweigend mehrere Kognaks getrunken hatten, beschloß er, bei mir zu übernachten, und ging den Wagen einstellen. Einige Minuten darauf kam er zurück und sagte mit leiser, leicht zitternder Stimme, daß in meiner Garage eine große Schnellzugslokomotive

stünde. »Ich weiß«, sagte ich ruhig und nippte von meinem Kognak, »ich habe sie mir vor kurzem angeschafft.« Auf seine zaghafte Frage, ob ich öfters damit fahre, sagte ich, nein, nicht oft, nur neulich, nachts, da hätte ich eine benachbarte Bäuerin, die ein freudiges Ereignis erwartete, in die Stadt ins Krankenhaus gefahren. Sie hätte noch in derselben Nacht Zwillingen das Leben geschenkt, aber das habe wohl mit der nächtlichen Lokomotivfahrt nichts zu tun. Übrigens war das alles erlogen, aber bei solchen Gelegenheiten kann ich der Versuchung nicht widerstehen, die Wirklichkeit ein wenig zu schmücken. Ob er es geglaubt hat, weiß ich nicht, er nahm es schweigend zur Kenntnis, und es war offensichtlich, daß er sich bei mir nicht mehr wohl fühlte. Er wurde ganz einsilbig, trank noch ein Glas Kognak und verabschiedete sich. Ich habe ihn nicht mehr gesehen.

Als kurz darauf die Meldung durch die Tageszeitungen ging, daß den französischen Staatsbahnen eine Lokomotive abhanden gekommen sei (sie sei eines Nachts vom Erdboden – genauer gesagt vom Rangierbahnhof – verschwunden), wurde mir natürlich klar, daß ich das Opfer einer unlauteren Transaktion geworden war. Deshalb begegnete ich auch dem Verkäufer, als ich ihn kurz darauf im Dorfgasthaus sah, mit zurückhaltender Kühle. Bei dieser Gelegenheit wollte er mir einen Kran verkaufen, aber ich wollte mich in ein Geschäft mit ihm nicht mehr einlassen, und außerdem, was soll ich mit einem Kran?

Ich trage eine Eule nach Athen

Heute ist es ein Jahr her, daß ich abends auf der Akropolis stand und, mit einem Gefühl tiefer Erfüllung, eine Eule entflattern ließ, die ich nach Athen getragen hatte.
Der Entschluß zu dieser Tat war eines Nachts in mir gereift, als ich nicht schlafen konnte. In solchen dunklen Stunden fasse ich Entschlüsse, die ich dann, wenn die Umstände es auch nur irgendwie erlauben, unmittelbar in die Tat umsetze. Dieser neue und bis dahin vielleicht kühnste Entschluß ließ sich nun zwar nicht ohne weiteres verwirklichen, wohl aber konnte seine Ausführung sofort vorbereitet werden. Ich kleidete mich an und machte mich auf den Weg zu meinem Vogelhändler. Sein Laden ist selbstverständlich nachts geschlossen, Stammkunden bedienen sich einer versteckten Nachtglocke. Ich läutete und stand bald darauf zwischen tuchbedeckten Käfigen in der nächtlich-trüben Vogelhandlung. Der Händler fragte mich, was es sein dürfe.
»Eine Eule, bitte«, sagte ich.
»Aha«, sagte er und zwinkerte mit den Augen, als behage ihm die gewiegte Kennerschaft seines Gegenübers; »Sie sind ein Kenner. Die meisten Kunden machen den Fehler, sich ihre Eulen bei Tageslicht auszusuchen. – Soll sie ein Geschenk sein?«

»Nein. Sie ist für mich. Ich möchte sie nach Athen tragen.«

»Nach Athen – aha!« Der Vogelhändler führte Daumen und Zeigefinger langsam über sein Kinn, daß die Stoppeln knirschten, und sagte: »Da würde ich Ihnen zu einem Steinkauz raten. Ich fürchte, Waldohr- oder Schleiereulen sind den Strapazen einer längeren Reise nicht gewachsen. Ein Steinkauz dagegen ist zäh und hat übrigens auch ein handlicheres Format.« –

»Einen Kauz nach Athen tragen – –?« sagte ich langsam, mit stillem Zweifel diese Vorstellung prüfend. Schon allein der Rhythmus sagte mir nicht zu.

»Dieselbe Familie«, meinte der Händler. Ich schwieg.

»Nachtraubvögel«, fügte er hinzu, von der Beharrlichkeit meines Schweigens angestachelt. Offensichtlich war ihm das Wesen meiner Bedenken unbekannt.

Vielleicht wird mancher Leser ein ähnliches Dilemma schon erfahren haben und daher meine Zweifel verstehen. Jedenfalls – ich will es gestehen – siegte praktische Vernunft über philologische Deutelei: ich kaufte den Kauz. Die allzu pedantische Widerlegung einer den Gipfel des Absurden darstellenden antiken Zumutung schien es nicht wert zu sein, die Gefahr einer kurz vor dem Ziel verendenden Eule auf sich zu nehmen. Vor allem aber wollte ich die Eulenseele nicht vergewaltigen, indem ich ihren Träger zum Opfer seiner klassischen Assoziation machte. Der Mensch weiß, daß ihn Gott nach seinem Ebenbild geschaffen hat, und er trägt mitunter schwer an dieser Bürde. Dem Tier indessen sind Gleichnis und Vergleich fremd, und meiner Meinung nach gewinnt seine animalische Würde aus eben der

Tatsache, daß es noch nicht einmal die einfältigste Fabel über sich selbst kennt. Entlang dieser Bahn liefen meine Überlegungen, als ich mit dem Kauz im Messingkäfig und einem großen Paket mit Brenzels Eulenfutter beladen, durch die stillen Straßen nach Hause ging. Denn die Gedanken über Wesen und Sein, über Mensch und Tier, kommen mir nur – wenn überhaupt – innerhalb dieser dunklen, ahnungsschwangeren Zeitgrenze zwischen Nacht und Morgen, zu welcher Stunde selbst ein Steinkauz über seine irdische Gestalt hinauswächst. Ich trug sozusagen ein Symbol im Käfig: das Tier schlechthin.

Andrerseits verursachte mir mein philologisches Verantwortungsbewußtsein ein ungutes Gefühl, dem zu entwischen ich mich vergeblich bemühte. Es war und blieb ein Kauz, was ich da im Käfig trug, ein Vogel also, der ganz und gar andere Gedankenbilder hervorruft als eine Eule. Mochten ihn auch alle Nicht-Zoologen für eine Eule halten: ich würde bis an mein Lebensende wissen, daß ich einen Steinkauz nach Athen getragen hätte. Im Morgengrauen besah ich den schlafenden Vogel, der von meinen Bedenken und von seiner Legendenumwobenheit nichts wußte: ahnte das gute, harmlose Tier ja noch nicht einmal, daß es ein Steinkauz und keine Eule war. Ich weiß nicht, warum dieser letztere Gedanke mich rührte – vielleicht verspüre ich in diesen Stunden zartere Regungen, die mich der Kreatur näher bringen –, jedenfalls beschloß ich, komme, was da wolle, dieses Tier nach Athen zu tragen.

Und mein Entschluß wurde belohnt. Ein morgendlicher Blick in »Brehms Tierleben« belehrte mich, daß ich mit der Wahl des Kauzes, wider besserem Wissen, das Rechte getroffen hatte. Denn während die Schleiereule auf den zoologischen Namen »Strix flammea« hört, die Waldohreule dagegen »Otis vulgaris« heißt (welch letzteres Adjektiv übrigens das hübsche Tier meiner Überzeugung nach zu Unrecht trägt) heißt der Steinkauz »Athene noctua«, und bei Ansicht der Abbildung wurde mir nunmehr klar, daß dieser tatsächlich der Vogel antiker Darstellung war. Hier hatte ich ihn, schwarz auf weiß, und ich durfte sein lebendiges Ebenbild getrost nach Athen tragen.

Wenige Tage später bestieg ich den Orient-Expreß. Mein Abteilgefährte war ein Herr, dessen Aussehen den Gelehrten verriet. Offensichtlich fuhr auch er nach Athen, wenn auch natürlich in anderer Mission. Mit verhaltener Spannung sah er mir zu, während ich den Käfig im Gepäcknetz verstaute, und noch als ich mich setzte und den Pausanias aus der Tasche zog, hing sein Blick an dem Vogel, der ruhig schlafend auf seiner Stange saß.

»Eine Eule«, bestätigte ich, ohne von meinem Buch aufzusehen, in tiefer, von allen Zweifeln erlöster Seelenruhe.

»Ein Kauz«, meinte er.

»Wenn Sie so wollen«, sagte ich und sah nun doch von meinem Buch auf. »Jedenfalls entspricht das Tier genau dem Zweck, den ich verfolge.«

»Beabsichtigen Sie etwa«, fragte der Herr lauernd, »diesen Vogel nach Athen zu tragen?«

»Das ist in der Tat meine Absicht.«

Jetzt lächelte der Herr. Er schob ein Lesezeichen in sein Buch, klappte es zu, legte es beiseite und machte es sich

in seiner Ecke bequem, als bereite er sich auf die längere Erörterung eines interessanten Streitpunktes vor.
»Sie haben, junger Freund«, so hub er an, »Ihren Aristophanes unaufmerksam gelesen oder falsch verstanden!« Hier setzte er zunächst einmal ab, als wolle er mich vernichtet der Wahl zwischen diesen beiden Möglichkeiten überlassen. Aber ich wählte nicht – die Anschuldigungen treffen nicht zu –, sondern entgegnete lässig, bevor er Gelegenheit hatte fortzufahren: »Ich weiß, ich weiß. Es gilt als Inbegriff der Überflüssigkeit, Eulen nach Athen zu tragen. Diese Auffassung ist mir bekannt. Dennoch bin ich, wie Sie sehen, soeben dabei, eine solche nach Athen zu tragen.«
»Einen Kauz, meinen Sie«, sagte der Gelehrte etwas spitzig, wie mir schien, als nehme er mir die Abweichung von der Konvention, den Vogel der Athene – sei er nun Kauz oder Eule – nach Athen zu tragen, richtig übel.
Lässig, mit der linken Hand, spielte ich den Trumpf aus: »Athenes Eule war bekanntlich ein Steinkauz. Die Übersetzung des Wortes »glaukoopis« mit »eulenäugig« ist eine philologische Ungenauigkeit, die auszumerzen ich mich berufen fühle.« Damit hatte ich ihn der Möglichkeit einer Entgegnung beraubt.
Und so entgegnete mir der Herr denn auch nichts mehr. Offensichtlich war er Philologe, und sein Anteil an der übernommenen Schuld ließ ihn verstummen. Er nahm die Lektüre wieder auf und tat von diesem Punkt an – wir passierten soeben den Bahnhof von Großhesselohe – als existiere der Kauz nicht. Mit keinem Worte mehr hat er ihn erwähnt, keines Blickes mehr gewürdigt, und dafür wiederum muß ich ihm dankbar sein, denn das

Tier tat immerhin einiges, was rückblickend vielleicht nicht mehr erwähnenswert ist, wohl aber in der Gegenwart von vielen Reisenden als störend, wenn nicht gar als unpassend empfunden werden mag.
Hier nun einige kurze Ratschläge für solche, die, von meinem Beispiel angespornt, beschlossen haben, ihm zu folgen: Eulen sind in der Liste der zollpflichtigen Gegenstände nicht enthalten, daher man eventuellen Zahlungsforderungen von seiten der Beamten energisch entgegentreten darf. Käfige dagegen sind zwar an sich zollpflichtig, aber nur fabrikneue Stücke, und ein von einem Steinkauz bewohnter Käfig ist nach kurzer Zeit nicht mehr neu. Trinkgelder sind empfehlenswert. Mit Verständnis von seiten des ständig wechselnden Zugpersonals sollte nicht gerechnet werden: wer also die Sprache und Gestikulationen der Durchgangsländer nicht beherrscht, beraubt sich der Möglichkeit wirkungsvoller Verteidigung. Im ganzen – das sei zugegeben – ist ein Eulentransport nach Athen mit kleineren Mühen verbunden, aber ich wäre ein Lügner, wollte ich leugnen, daß er dieser Mühe wert ist. Wer sich von Handlungen wie etwa »Holz in den Wald tragen« oder »Wasser in den Brunnen gießen« eine ähnliche Genugtuung erhofft, der wird sich – so fürchte ich – bitter getäuscht sehen. Gewiß: der Mangel an ideellem und materiellem Aufwand solcher letzterwähnter Aktionen ist bestechend und verlockt zur Durchführung; aber der geringe Vorteil ihrer Einfachheit wird bei der von mir vollbrachten Tat durch die tiefe Befriedigung am Ziel reichlich wettgemacht.
Denn als ich gegen Abend meines ersten Tages in Athen

mit meinem Eulenkäfig zur Akropolis hinanstieg, da überkam mich das Gefühl inbrünstiger Zufriedenheit. Hier vollzog sich eine Handlung, die nicht, wie so viele Experimente von heute, darauf angelegt war, die Thesen der Erzieher und Weltverbesserer von gestern zu widerlegen, sondern die sie – im Gegenteil – bestätigte. Ich war dabei, mich selbst zu überzeugen, wie müßig es wirklich war, Eulen nach Athen zu tragen; nicht etwa, weil es dort so viele gibt – weder habe ich, noch hat irgendein mir bekannter Athener dort jemals auch nur eine einzige Eule gesehen – nein: die Tat war müßig, weil Eulen dort, wie letzten Endes auch bei uns, unbrauchbar sind. Mein Glücksgefühl wird daher ein jeder verstehen, der, wie ich, am liebsten solchen Beschäftigungen nachgeht, deren Konzeption bereits von vornherein verrät, daß sie zu nichts führen können, deren Ausübung daher reiner, seliger Selbstzweck ist.

Ich löste meine Eintrittskarte, durchschritt die Propyläen und stellte mich vor den Parthenon. Mit zitternden Fingern öffnete ich den Käfig. Es war ein großer Moment. Die Eule hob sich in die Lüfte und flatterte empor, zum Giebel des Tempels, wo sie zunächst sitzen blieb.

Ein klassischer Anblick! Gegen den blauen attischen Nachthimmel, der das Weiß des Marmors hervorhob und ihn, gespenstisch schön, wie porösen Samt erscheinen ließ, hob sich mein Steinkauz ab, Lebewesen und Symbol zugleich. Ich und kein anderer hatte ihn nach Athen getragen!

»Siehst du, Selma«, hörte ich einen Mann neben mir sagen, »die Bestätigung des klassischen Wortes, daß es unnötig sei, Eulen nach Athen zu tragen? Sogar auf dem Parthenon sitzen sie.«

»Es ist ein Kauz«, erwiderte die Frau. Der Mann schwieg, wahrscheinlich betreten. Auch er war wohl Humanist, und sein Humanismus hatte sich bei ihm, wie es öfters geschieht, auf Kosten seiner Zoologie gebildet. Indessen, dem Mann konnte geholfen werden. Ich wandte mich den beiden zu, die ich unschwer als ein Paar auf der Hochzeitsreise erkannte, und sprach: »Es ist ein Steinkauz: der wahre Vogel der Göttin Pallas Athene. Heute wissen das die meisten Menschen noch nicht. Aber sie werden es bald wissen!« Mit dieser zuversichtlichen Äußerung schritt ich davon, der Wirkung meiner Worte gewiß. Ich hatte einem Hochzeitspaar zu einem vollkommeneren Bild antiker Wirklichkeit verholfen, oder doch zumindest den Keim zu einer Korrektur gelegt.

Den Käfig verkaufte ich bei einem Altmetallhändler und trat am nächsten Tag die Heimreise an. Ich bin ein vielbeschäftigter Mann und muß meine Zeit genauestens einteilen. Selbstdisziplin verbietet es mir, derartige Eskapaden vom Alltag beliebig auszudehnen.

Wenige Wochen später traf auch der Steinkauz wieder bei meinem Vogelhändler ein. Zahme Nachtraubvögel entwickeln eine große Anhänglichkeit an ihre Besitzer; eine Eigenart, die durchaus zu den zoologischen Merkwürdigkeiten zu zählen ist. Die Natur ist voller wunderbarer Geheimnisse, und es bedarf oft nur des glücklichen Zufalls, ein kleines davon zu ergründen.

Der hellgraue Frühjahrsmantel

Vor zwei Monaten – wir saßen gerade beim Frühstück – kam ein Brief von meinem Vetter Eduard. Mein Vetter Eduard hatte an einem Frühlingsabend vor zwölf Jahren das Haus verlassen, um, wie er behauptete, einen Brief in den Kasten zu stecken, und war nicht zurückgekehrt. Seitdem hatte niemand etwas von ihm gehört. Der Brief kam aus Sidney in Australien. Ich öffnete ihn und las:

Lieber Paul!
Könntest Du mir meinen hellgrauen Frühjahrsmantel nachschicken? Ich kann ihn nämlich brauchen, da es hier oft empfindlich kalt ist, vor allem nachts. In der linken Tasche ist ein »Taschenbuch für Pilzsammler«. Das kannst Du herausnehmen und behalten. Eßbare Pilze gibt es hier nämlich nicht. Im voraus vielen Dank.

Herzlichst Dein Eduard

Ich sagte zu meiner Frau: »Ich habe einen Brief von meinem Vetter Eduard aus Australien bekommen.« Sie war gerade dabei, den Tauchsieder in die Blumenvase zu stecken, um Eier darin zu kochen, und fragte: »So? Was schreibt er?«
»Daß er seinen hellgrauen Mantel braucht und daß es

in Australien keine eßbaren Pilze gibt.« – »Dann soll er doch etwas anderes essen«, sagte sie. – »Da hast Du recht«, sagte ich.
Später kam der Klavierstimmer. Er war ein etwas schüchterner und zerstreuter Mann, ein wenig weltfremd sogar, aber er war sehr nett, und natürlich sehr musikalisch. Er stimmte nicht nur Klaviere, sondern reparierte auch Saiteninstrumente und erteilte Blockflötenunterricht. Er hieß Kolhaas. Als ich vom Tisch aufstand, hörte ich ihn schon im Nebenzimmer Akkorde anschlagen.
In der Garderobe sah ich den hellgrauen Mantel hängen. Meine Frau hatte ihn also schon vom Speicher geholt. Das wunderte mich, denn gewöhnlich tut meine Frau die Dinge erst dann, wenn es gleichgültig geworden ist, ob sie getan sind oder nicht. Ich packte den Mantel sorgfältig ein, trug das Paket zur Post und schickte es ab. Erst dann fiel mir ein, daß ich vergessen hatte, das Pilzbuch herauszunehmen. Aber ich bin kein Pilzsammler.
Ich ging noch ein wenig spazieren, und als ich nach Hause kam, irrten der Klavierstimmer und meine Frau in der Wohnung umher und schauten in die Schränke und unter die Tische.
»Kann ich helfen?« fragte ich.
»Wir suchen Herrn Kolhaas' Mantel«, sagte meine Frau.
»Ach so«, sagte ich, meines Irrtums bewußt, »den habe ich soeben nach Australien geschickt.« – »Warum nach Australien?« fragte meine Frau. »Aus Versehen«, sagte ich. »Dann will ich nicht weiter stören«, sagte Herr Kolhaas, etwas betreten, wenn auch nicht besonders

erstaunt, und wollte sich entschuldigen, aber ich sagte: »Warten Sie, Sie können dafür den Mantel von meinem Vetter bekommen.«
Ich ging auf den Speicher und fand dort in einem verstaubten Koffer den hellgrauen Mantel meines Vetters. Er war etwas zerknittert – schließlich hatte er zwölf Jahre im Koffer gelegen – aber sonst in gutem Zustand. Meine Frau bügelte ihn noch ein wenig auf, während ich mit Herrn Kolhaas ein Glas Sherry trank und er mir von einigen Klavieren erzählte, die er gestimmt hatte. Dann zog er ihn an, verabschiedete sich und ging.
Wenige Tage später erhielten wir ein Paket. Darin waren Steinpilze, etwa ein Kilo. Auf den Pilzen lagen zwei Briefe. Ich öffnete den ersten und las:

Lieber Herr Holle, (so heiße ich)
da Sie so liebenswürdig waren, mir ein »Taschenbuch für Pilzsammler« in die Tasche zu stecken, möchte ich Ihnen als Dank das Resultat meiner ersten Pilzsuche zuschicken und hoffe, daß es Ihnen schmecken wird. Außerdem fand ich in der anderen Tasche einen Brief, den Sie mir wohl irrtümlich mitgegeben haben. Ich schicke ihn hiermit zurück.

Ergebenst Ihr A. M. Kolhaas

Der Brief, um den es sich hier handelte, war also wohl der, den mein Vetter damals in den Kasten stecken wollte. Offenbar hatte er ihn dann mitsamt dem Mantel zu Hause vergessen. Er war an Herrn Bernhard Haase gerichtet, der, wie ich mich erinnerte, ein Freund meines Vetters gewesen war. Ich öffnete den Umschlag. Eine

Theaterkarte und ein Zettel fielen heraus. Auf dem Zettel stand:

Lieber Bernhard!
Ich schicke Dir eine Karte zu »Tannhäuser« nächsten Montag, von der ich keinen Gebrauch machen werde, da ich verreisen möchte, um ein wenig auszuspannen. Vielleicht hast Du Lust, hinzugehen. Die Schmidt-Hohlweg singt die Elisabeth. Du schwärmst doch immer so von ihrem hohen Gis.

Herzliche Grüße, Dein Eduard

Zum Mittagessen gab es Steinpilze. »Die Pilze habe ich hier auf dem Tisch gefunden. Wo kommen sie eigentlich her?« fragte meine Frau. »Herr Kolhaas hat sie geschickt.« – »Wie nett von ihm. Es wäre doch gar nicht nötig gewesen.«
»Nötig nicht«, sagte ich, »aber er ist eben sehr nett.«
»Hoffentlich sind sie nicht giftig. – Übrigens habe ich auch eine Theaterkarte gefunden. Was wird denn gespielt?«
»Die Karte, die du gefunden hast«, sagte ich, »ist zu einer Aufführung von ›Tannhäuser‹, aber die war vor zwölf Jahren!« – »Na ja«, sagte meine Frau, »zu ›Tannhäuser‹ hätte ich ohnehin keine große Lust gehabt.«
Heute morgen kam wieder ein Brief von Eduard mit der Bitte, ihm eine Tenorblockflöte zu schicken. Er habe nämlich in dem Mantel (der übrigens seltsamerweise länger geworden sei, es sei denn, er selbst sei kürzer geworden) ein Buch zur Erlernung des Blockflötenspiels gefunden und gedenke, davon Gebrauch zu machen.

Aber Blockflöten seien in Australien nicht erhältlich.
»Wieder ein Brief von Eduard«, sagte ich zu meiner Frau. Sie war gerade dabei, die Kaffeemühle auseinanderzunehmen und fragte:
»Was schreibt er?« – »Daß es in Australien keine Blockflöten gibt.« – »Dann soll er doch ein anderes Instrument spielen«, sagte sie.
»Das finde ich auch«, meinte ich.
Meine Frau ist von erfrischender, entwaffnender Sachlichkeit. Ihre Repliken sind zwar nüchtern aber erschöpfend.

Ich finde mich zurecht

Eines Abends – es ist jetzt etwa ein Jahr her – besuchte mich mein Onkel. Er brachte mir zwei Bilder mit, die er, wie er sagte, auf einer Auktion günstig ersteigert hatte. Es handelte sich um zwei große, echte, schwere Ölgemälde, auf Leinwand mit pastosem Aufwand gemalt, in dicken, vergoldeten Rahmen. Beide stellten Hochgebirgslandschaften dar, mit Schneebergen, Almhütten und heimkehrenden Holzfällern. Der einzige wesentliche Unterschied war der, daß die eine Landschaft im Lichte der untergehenden Sonne erstrahlte, während sich über der anderen ein Gewitter zusammenzog. Bei ihrem Anblick wurde mir sofort klar, daß sie »Alpenglühen« und »Vor dem Sturm« heißen mußten.
Mein Onkel schlug vor, ich solle die Bilder sogleich aufhängen. Mir fiel kein Vorwand ein, dies nicht zu tun, und ich hängte sie auf, während er mir dabei zusah. »Die Bilder heißen übrigens ›Alpenglühen‹ und ›Vor dem Sturm‹«, kommentierte er. »Richtig«, sagte ich, »ich wollte dich soeben nach den Titeln fragen.«
Später öffnete ich eine Flasche Portwein und wir unterhielten uns. Als wir beim zweiten Glas saßen, kam Roeder. Roeder, ein Freund von mir, ist ein Maler moderner Richtung, von dem ich einige Tage zuvor ein

Bild erworben hatte. Sein Besuch kam mir ungelegen, denn ich hatte, aus irgendeinem Grunde, sein Bild noch nicht gehängt, und nun hingen an seiner Stelle die beiden großen Landschaften.
»Ah, sieh da«, sagte er in einem Tonfall zweifelnden Staunens, nachdem er uns beide begrüßt hatte und nun auf die unglückseligen Bilder zuging, »›Alpenglühen‹ und ›Vor dem Sturm‹.« – »So heißen sie tatsächlich«, sagte mein Onkel verwundert. Ich erklärte Roeder, indem ich ihn dabei vielsagend anzusehen suchte, daß ich die Bilder soeben von meinem Onkel als Geschenk erhalten habe. Darauf aber schien dieser nicht eingehen zu wollen: er murmelte immer wieder mit abwesender Miene: »Sehr schön, sehr schön«, und ich hatte das Gefühl, daß hinter der Abwesenheit bübische Gedanken arbeiteten. Ich fand sein Gebaren überaus taktlos und war deshalb froh, als er sich kurz darauf verabschiedete. An der Tür klopfte er mir freundschaftlich auf die Schulter. Auch dies war sonst nicht seine Art gewesen. Mir wurde sehr unbehaglich zumute, meine Schulter blieb für den Rest des Abends von diesem Klopfen beschwert.
Mein Onkel dagegen blieb, bis die Flasche leer war. Als er ging, atmete ich auf: der Moment war gekommen, die Bilder abzunehmen und Roeders Abstraktion aufzuhängen; aber ich fühlte mich plötzlich mutlos und merkwürdig gelähmt. Es mochte die Nachwirkung des Besuches gewesen sein, oder vielleicht hatte mich der Wein ermüdet. Port macht träge. Jedenfalls erschien mir das Ersteigen der Leiter und das Auswechseln der Bilder als ein gewaltiges Unterfangen. Ich unterließ es.

Am nächsten Morgen wurde eine große Kiste gebracht. Ich hatte soeben mein Werkzeug geholt, um das Umhängen der Bilder vorzunehmen. Aber nun benützte ich es, um die Kiste zu öffnen. Zuoberst lag ein Brief. Er war von Roeder und lautete:

Lieber Robert!
Hiermit schicke ich Dir einige Gegenstände, von denen ich annehme, daß sie Deiner Geschmacksrichtung entsprechen.

Herzlichst Dein Roeder

Nichts Gutes ahnend, ging ich ans Auspacken. Zuerst kam, in Holzwolle eingewickelt, eine Porzellanvase, sie stellte einen buntgefiederten Kranich dar, dessen weitgeöffneter Schnabel zum Hineinstecken der Blumenstengel vorgesehen war. Daneben lag, zwischen Schichten von Seidenpapier, ein Strauß künstlicher Rosen und eine Tischlampe, bestehend aus einer nackten weiblichen Figur aus Gußeisen, die auf ihrer Schulter eine Glühbirnenfassung trug und einen Drahtschirm, mit grüner Seide in Rüschen und Falten bespannt.
Angesichts dieser Gegenstände verfinsterte sich meine Laune. Zwar ließ ich mich durch die Sendung nicht zu dem Gedanken verleiten, daß Roeder etwa ernsthaft an eine plötzliche Geschmackswandlung glaubte, aber ich fand, daß er in seinem mutwilligen, kindisch-bewußten Mißverständnis zu weit gegangen sei. Wo sollte ich denn mit den Sachen hin, in meiner Zweizimmerwohnung; einen Speicher oder eine Rumpelkammer hatte ich nicht. Ich war noch dabei, über die Geschmacklosigkeit dieses

Scherzes zu brüten, als Sylvia kam. Sylvia ist impulsiv und stets geneigt, den Eingebungen des Augenblicks bedingungslos zu folgen. Darin geht sie oft zu weit, und das tat sie auch jetzt. Ihr klarer Blick muß die Situation sofort überblickt haben. Aber anstatt mir zur Seite zu stehen, tat sie so, als bestände die Schwierigkeit lediglich darin, einige Neuakquisitionen günstig aufzustellen. Ohne ein Wort zu sagen, trat sie in Aktion. Sie nahm eine Glühbirne aus einer Schublade, schraubte sie in die Lampe und trug sie in mein Schlafzimmer; sie ordnete die künstlichen Blumen fraulich-liebevoll in der Vase, stellte sie auf ein Regal zwischen den Bildern, trat ein paar Schritte zurück und betrachtete die Wirkung. Dann setzte sie sich neben mich und streichelte meine Wange.
Ich drehte mich unwillig zu ihr und sagte: »Hör zu, Sylvia, das ist alles ein furchtbares Mißverständnis, ja sogar beinahe eine Verschwörung. Diese Bilder hat mir mein Onkel gestern abend geschenkt. Ich hätte sie nicht aufhängen sollen, aber leider habe ich es getan. Dann kam Roeder und sah die Bilder. Daraufhin ...« Hier unterbrach sie mich und sagte: »Wozu die Entschuldigungen? Es ist doch gleichgültig, wie du in den Besitz der Dinge gekommen bist. Jetzt gehören sie dir.« Die Bedeutung dieser Worte war mir im Moment rätselhaft, aber der Lauf der Dinge hat es mit sich gebracht, daß sie mir bald klarer wurden. Manchmal denke ich, sie habe damals gesagt: »Jetzt gehören sie *zu* dir.« Jedenfalls muß es der Sinn ihrer Rede gewesen sein.
Als sie ging, verabschiedete sie sich von mir wie von einem Patienten, dem man den Glauben an Genesung nicht rauben darf. Sie sah mir in die Augen, als wolle

sie mir Mut einflößen, strich mir noch einmal über die Wange, wandte sich jäh ab und war weg.
Aber schon am Nachmittag kam sie wieder und brachte ihre Freundin Renate mit. Renate ging sofort in mein Schlafzimmer und fing dort an zu hämmern. Sylvia indessen packte eine Anzahl Spitzendeckchen aus und sagte, die wolle sie gleich auf die Armlehnen der Sessel legen, das entspräche doch sicherlich meinem Geschmack. Überdies schonten sie auch den Bezug. Ich war so entrüstet, daß ich kein Wort hervorbringen konnte. Sprachlos sah ich zu, wie sie die Deckchen auflegte, glattstrich und mit Stecknadeln befestigte. Dann zerrte sie mich ins Schlafzimmer, wo Renate soeben eine große Schwarzwälder Kuckucksuhr angebracht hatte.
Das ging zu weit. Wütend machte ich mich daran, das Ding von der Wand zu reißen, aber es war mit zwei Stahlhaken befestigt, und als ich daran zog, schoß der Kuckuck heraus und schrie mir sechsmal wütend ins Gesicht. »Ach, es ist schon sechs«, sagte Renate, »wir müssen gehen.« Beim Abschied, den ich nur in einer Art Versteinerung zur Kenntnis nahm, versicherte mir Sylvia, sie werde mir ein paar schöne Tischdecken mit Kreuzstich sticken. Dann gaben mir beide einen flüchtigen Kuß und liefen lachend die Treppe hinunter. Das Lachen klang in meinem Ohr noch eine lange Zeit nach, es war, als lache ein Widersacher hinter der Bühne, wenn der Vorhang schon gefallen ist.
Die Kreuzstichdecken kamen am übernächsten Tag, aber es kam noch mehr. Ein mir befreundeter Architekt namens Mons hatte mich den vorhergehenden Abend aufgesucht. Er habe, so hatte er gesagt, durch Roeder

von meinen Neuakquisitionen gehört und sei gekommen, um sie sich anzuschauen. Ich hatte ihm – diesmal schon in nervöser Erregung, der ich freien Lauf ließ – zu erklären versucht, daß alles ein bösartiger Irrtum sei. Aber er hatte mich dabei nur beobachtend angesehen, mit dem Ernst eines Diagnostikers, als versuche er, in meinen Mienen noch weitere Symptome eines einsetzenden Übels zu entdecken. Das hatte meine Erregung noch gesteigert, und als er mir beim Abschied die Hand gedrückt und »Gute Nacht, alter Knabe«, gesagt hatte, schlug ich wütend die Tür hinter ihm zu.
Und nun kam, mit einer Karte von ihm, ein großes elfenbeinfarbenes Schleiflackgestell mit Regalen, die in mehreren Höhen und nach mehreren Richtungen ragten. Ich wußte sofort, daß es zum Aufstellen von Kakteen diene. Die Kakteen, verschiedener Größen und Formen, kamen auch noch am gleichen Tag, sowie ein bebildertes Heft, betitelt »Der Kakteenzüchter«. Mit einer Ruhe, die mich selbst befremdete, ordnete ich die Kakteen in den Regalen und legte mir das Heft auf den Nachttisch.
Diese Nacht verlief unruhig. Der Kuckuck weckte mich mehrere Male. Wenn ich dann die Lampe andrehte, fiel mein Blick auf das Bronceweib; diesen Anblick konnte ich nur schwer ertragen und nahm, um mich abzulenken, den »Kakteenzüchter« vom Nachttisch, konnte mich aber für den Inhalt nicht – noch nicht – erwärmen, legte das Buch wieder weg und drehte die Lampe ab. Ich hegte unfreundliche Gedanken gegen meinen Onkel, gegen Roeder, Sylvia und die ganze Gesellschaft. Bei diesen Gedanken schlief ich aber doch ein, bis mich der Kuckuck wieder weckte.

Dieselbe Woche noch ertappte ich mich mehrmals dabei, wie ich die künstlichen Blumen in der Vase ordnete oder ein Spitzendeckchen auf einer Armlehne glattstrich, und als die Kiste mit den gedrehten Kerzenhaltern und Schalen kam, war ich beim Auspacken auf jedes Stück gespannt. Ich nahm garnicht zur Kenntnis, wer sie mir geschickt hatte.

Es wurde Sommer. Sylvia war verreist, und deshalb hatten die bisher regelmäßigen Sendungen von Kreuzstichdecken und Sofakissen aufgehört, dafür aber schickte sie bunte Ansichtskarten, diverse Ausflugsziele darstellend. Ich ordnete sie in ein Album.

Renate aber besuchte mich eines Abends und brachte mir ein Album mit Schallplatten mit. Sie bestand darauf, daß ich sofort einiges spiele. Zuerst spielten wir eine Phantasie, betitelt: »Aus Webers Zauberwald«, dann »die schönsten Chöre aus Wagners Opern« und zum Schluß das Finale der fünften Sinfonie von Beethoven. Dann ging sie. Als sie weg war, spielte ich noch die Ballettmusik aus »Rosamunde« und ging schlafen. Die Kuckucksuhr schlug zwölf. Ich hatte begonnen, mich an ihr zu orientieren.

Einmal noch habe ich versucht, mich aufzulehnen; das war der Tag, als Herr von Stamitz, der sich inzwischen mit Sylvia verlobt hatte, das Bücherregal aus geflammtem Nußholz und die Buchattrappen schickte. Heute ist es mir nicht mehr klar, warum ich mich gerade bei dieser Gelegenheit in sinnlosen Ärger steigerte, denn handwerklich war das Ding über jeden Tadel erhaben. Ich erinnere mich, daß ich in der Wohnung umherlief wie in einem Käfig. Ich versuchte, die Spitzendeckchen von

den Sesseln zu ziehen: ich hatte vergessen, daß ich sie inzwischen angenäht hatte. Mit den Zähnen wollte ich einige Kreuzstichdecken zerreißen, aber sie waren zäh, waren aus gutem, derben Bauernleinen. Sylvia hatte stets minderwertiges Material verachtet. Alles was bei dieser Gelegenheit zerbrach, war eine kostbare Negerplastik, eines der wenigen Andenken an die Zeiten vor dem Besuch meines Onkels. Über diesen exemplarischen Unglücksfall mußte ich lachen, und mein Ärger ließ nach. Gelassen machte ich mich an die Arbeit, indem ich die Buchrücken in das Nußbaumgestell ordnete und auf beiden Seiten befestigte. Dabei las ich die Namen Gibbons, Macaulay, Mommsen und Ranke. Es war eine Auswahl für Historiker. Ich habe mich übrigens immer sehr für Geschichte interessiert.
Diese Nacht träumte ich, ich wandle durch leere Säle, in denen nur hier und dort ein sachliches Möbelstück stand. Ich setzte mich auf einen Stahlschemel. Sofort wuchsen ihm gepolsterte Rücken- und Armlehnen mit Kissen aus Samt und Rips. Kristallkandelaber senkten sich von der Decke nach unten. Frauen, in wallenden Gewändern, das Haar über den Ohren zu Schnecken gerollt, wälzten schwere, goldgeschnittene Bände heran, die sie vor mir öffneten. Die Seiten waren mit Stichen und Photographien beklebt, unter welchen Unterschriften wie »Franz Liszt im Freundeskreis« oder »Abendstimmung am Walchensee« oder »Hiroshima, mon amour« zu lesen waren. Ich wachte auf, als die Pendeluhr aus dem Wohnzimmer drei schlug, drehte die Nachttischlampe an, da stand die Bronzefigur in schrecklicher Gegenwärtigkeit vor mir; ich drehte die Lampe wieder

ab, da rief der Kuckuck dreimal – er ging offenbar nach – ich drehte wieder an und warf den »Kakteenzüchter« nach dem Kuckuck, er ging daneben, ich versuchte es mit dem Hirsch aus Rosenthalporzellan, traf aber den schlüpfrigen Kupferstich »la surprise«, der neben der Kuckucksuhr hing. – Das Glas zersplitterte, und ich wurde ruhiger. Die Krise war überstanden.

So wuchs meine Wohnung langsam zu. Es kam immer weniger Besuch, denn es kostete inzwischen Mühe, sich zwischen den Möbeln durchzuwinden, um zu einer Sitzgelegenheit zu gelangen, und wenn man doch hingelangte, konnte man sich nicht mehr setzen, denn auf den Stühlen lagen gerahmte Stiche, Geschirr aller Art, und auch manches ob seiner edlen Sachlichkeit preisgekrönte Stück.

Einmal noch besuchte mich mein Onkel, aber ich sah ihn nicht, denn ich lag im Bett, und er konnte den Weg zu mir nicht finden. Ich bat ihn deshalb, das mitgebrachte Bild, bei dem es sich diesmal, wie er mir zurief, um etwas Modernes handelte, auf eines der Satztischchen aus Teakholz zu legen, deren es doch in der Vorhalle einige geben müsse. Er rief mir zu, daß die Tischchen bereits mit allerlei Keramikgefäßen besetzt seien, Dingen übrigens von offensichtlich künstlerischem Wert. Ich gab keine Antwort mehr und weiß deshalb nicht, ob mein Onkel das Bild dagelassen oder wieder mitgenommen hat, denn ich liege seitdem im Bett. Mein Onkel war der letzte Besuch.

Ich stehe nicht mehr auf, denn wenn ich auch den Weg durch das Schlafzimmer zu finden vermag, verlaufe ich mich im Wohnzimmer. Ich liege und döse vor mich hin,

schaue mir Postkarten oder Photogravüren an oder spiele auf dem Grammophon, das neben meinem Bett steht, das Ständchen von Schubert oder das »Ave Maria«, gesungen von einer Negersängerin. Sie hat eine so schöne, beruhigende Stimme. Auch lese ich manchmal im »Kakteenzüchter«, dem ich, zum Beispiel, entnommen habe, daß Kakteen manchmal blühen. Vielleicht blüht einer von den meinen, aber ich weiß es nicht, denn, wie gesagt, ich besuche mein Wohnzimmer nicht mehr.
Schlafen kann ich jetzt wieder, denn eines Nachts habe ich den Kuckuck mit einer Vase aus schwedischem Glas getroffen, gerade als er zurückschlüpfen wollte. Die Pendeluhr im Wohnzimmer ist schon vor langem stehen geblieben, und ich kann nicht mehr zu ihr gelangen, um sie aufzuziehen. Außerdem will ich es auch garnicht, denn es wäre sinnlos.

Das Atelierfest

Seit einiger Zeit findet in dem Atelier neben meiner Wohnung ein rauschendes Fest statt. Ich habe mich an diesen Umstand gewöhnt, und das Rauschen stört mich gewöhnlich nicht mehr. Aber manchmal, da gibt es Höhepunkte, da tobt es, und ich sehe mich veranlaßt, beim Hauswirt Beschwerde einzulegen. Nachdem ich das mehrmals getan hatte, kam er eines Abends, um sich selbst von dem Lärm zu überzeugen. Aber wie es eben so ist – zu diesem Zeitpunkt hatte eine ruhige Periode eingesetzt, und die Folge war, daß der Hauswirt meine Klage als unberechtigt zurückwies. Ich hoffte, ihn vielleicht auf optischem Wege von dem unhaltbaren Zustand überzeugen zu können: Zu diesem Zweck öffnete ich den Kleiderschrank und ließ ihn durch eine Ritze in der Rückwand einen Blick auf das Fest werfen. Denn hinter dem Schrank befindet sich ein Loch in der Mauer von der Größe eines Bullauges in einer Kabine zweiter Klasse. Er sah eine Weile hindurch, aber alles, was er von sich gab, als er aus dem Schrank stieg, war ein Grunzen der Kenntnisnahme. Dann ging er, und als ich einige Stunden später – als es nämlich wieder tobte – durch das Loch sah, war der Hauswirt ein überzeugter Teilnehmer des Atelierfestes.

Ein wenig verstört ging ich im Wohnzimmer auf und

ab, aber wie immer bei solchen Anlässen erschwerte mir die strenge, unverrückbare Anordnung der Gegenstände meinen Pendelweg. Schon bei leichtem Anstoß klirrte das Bleikristall in den Regalen, der Teakholztisch wakkelt, obgleich ich dauernd Zigarettenschachteln unter die Füße lege, und die leichtfüßige finnische Vase kippt bei geringster Gelegenheit um, als sei das ihre Funktion. Schließlich blieb ich vor dem Druck von Picassos »Blauer Jugend« stehen. Wie großartig, dachte ich, sind doch diese originalgetreuen Wiedergaben, wie raffiniert die moderne Reproduktionstechnik. Auf diese und ähnliche Art werden nämlich nach solchen Ärgernissen meine Gedanken in andere Bahnen geleitet, und besänftigt, wenn nicht gar geläutert, gehe ich dann zum Kühlschrank, um ein Glas kalten Pfefferminztee zu genießen, ein vorzügliches Getränk für solche Zustände: Jeder kleine Schluck bestätigt, daß ich im Kampf gegen die Auflehnung wieder einmal den Sieg davongetragen habe. Danach lege ich gewöhnlich, wenn auch nicht immer, eine Patience.

Denn in dieser Wohnung, die ich schon lange als meine eigene betrachte, scheinen sich die Bräuche durch meine Übernahme nicht geändert zu haben. Sie haften an Einrichtung und Ausstattung. Die Atmosphäre bedingt die Handlungen der Bewohner, und oft habe ich gar das Gefühl, ich müsse in irgendein sachliches Büro gehen, jedoch die Ausführung dieses Gedankens scheitert an meiner mangelnden Entschlußkraft; zudem weiß ich nicht, welcher Art das Büro sei. Aber es ist schließlich noch nicht aller Tage Abend, wie ich oft – wenn auch vielleicht nicht ganz richtig – zu mir selbst sage.

Immer seltener schaue ich durch das Loch. Ich bemerke, daß der Menschenbestand drüben wechselt. Gäste, die am Anfang dabei waren, sind inzwischen gegangen, andere dafür gekommen. Manche scheinen sich sogar verdoppelt zu haben, wie zum Beispiel der Dichter Benrath, den ich ständig an zwei Stellen zu gleicher Zeit zu sehen vermeine: eine seltsame, beinahe tendenziöse Augentäuschung! Ich bemerke, daß Gerda Stoehr sich die Haare gefärbt hat – vielleicht mit Farben, die ehemals mir gehörten; ich erkenne die Halldorff, die ich zum letztenmal vor acht Jahren als Maria Stuart gesehen habe (übrigens ein unvergeßlicher Eindruck!), Frau von Hergenrath ist gegangen – vielleicht ist sie inzwischen gestorben? –, aber der Glaser, ja, der ist immer noch – und war auch die ganze Zeit – dabei.
Er war dabei an jenem Nachmittag, als das Atelier noch mir gehörte, jenem denkwürdigen Nachmittag, als ich nach einer langen, unfruchtbaren Periode wieder anfangen wollte, zu malen. Er wechselte einige zerbrochene Fensterscheiben aus und hämmerte leise vor sich hin. Meine Frau lag im Nebenzimmer und schlief; draußen regnete es: Die Stimmung ist mir noch gegenwärtig. Im Vorgefühl, nun nach Wochen des Suchens einer Eingebung auf der Spur zu sein, mischte ich vergnügt die Farben und erfreute mich am würzigen Duft der Emulsionen.
Der Glaser glaste still und schwieg: Er würde nicht stören, so dachte ich. Aber als ich die Leinwand auf die Staffelei stellte, sagte er: »Ich male auch.« »So«, sagte ich kühl, vielleicht habe ich auch »ach« gesagt, jedenfalls war mein Kommentar einsilbig.

»Ja«, fuhr er dennoch ermuntert fort, »Bergmotive in Wasserfarben. Aber nicht so modern wie diese Sachen, wo man nicht weiß, was oben oder unten ist. Ich male, was ich sehe.« Er sprach mit der aggressiven Autorität des Amateurs. »Kennen Sie den Landschaftsmaler Linnertsrieder? Ich male so wie der.«

Ich sagte, daß ich diesen Landschaftsmaler nicht kenne, und beschloß, nun doch mit dem Beginn der Arbeit zu warten, bis der Glaser sich entfernt habe. Denn ich kannte diesen schmalen Stimmungsgrat: wenn ich meiner Reizbarkeit freie Bahn ließe, würde sofort die Konzeption meines Bildes ins Wanken geraten. Ich setzte mich in einen Sessel, zündete mir eine Zigarette an und versuchte, den kommenden Schaffensakt vor mir herzuschieben, sanft, sanft, damit er nicht verletzt werde.

Aber bevor der Glaser mit seiner Arbeit fertig war, kam Frau von Hergenrath. Ich hörte auf zu schieben und unterdrückte einen Atemstoß der Resignation. Es galt, Ruhe zu bewahren: Sie war eine Mäzenin, die Wesentliches zu meinem Lebensunterhalt beitrug. Denn die Kunst geht nach Brot, wie jedermann, der nichts davon versteht, oft und gern versichern wird.

»Ich komme«, sagte die Gute, »um mich nach Ihnen umzusehen.« Dabei sah sie sich um, als suche sie mich zwischen den Bildern. »Ich höre, Sie gehen durch eine unfruchtbare Periode.«

Ich war nun wahrhaftig nicht geneigt, mich mit Frau von Hergenrath über die Tücken meiner Muse zu unterhalten. Daher versicherte ich ihr, das Gegenteil sei der Fall, ich erfreue mich voller Schaffenskraft, wobei ich mit vitaler Geste auf die umherstehenden Bilder als Zeugen

wies. Sie waren zwar alt, und Frau von Hergenrath hatte sie alle bereits mehrere Male gesehen, aber ich konnte mich auf ihr mangelhaftes Gedächtnis verlassen. In der Tat erkannte sie die Bilder nicht und ging mit frischer, unsachlicher Kritik daran, indem sie mehr als einmal das Gegenteil dessen äußerte, was ich als ihre frühere Meinung in Erinnerung hatte. Etwas gequält, wie immer bei solchen Anlässen, hörte ich ihr zu. Aber wenigstens war der Glaser verstummt. Er hatte schweigend das Hämmern wieder aufgenommen. Ich stellte fest, daß der Regen nachgelassen hatte. Die Zeit stand still.
Dieser einschläfernde Nachmittag nahm eine jähe Wendung, als Engelhardt plötzlich ins Zimmer stürzte, Engelhardt, der unausstehliche Gesellschafter mit seiner tödlichen Herzlichkeit, dem man aber nicht böse sein darf, denn wie reifer Camembert ist er unter seiner unangenehmen Schale weich, was ihn letzten Endes noch unausstehlicher macht. Das auch noch! Ich zuckte zusammen bei dem Gedanken an den Schulterschlag, den er mir gleich geben würde. Er küßte Frau von Hergenrath die Hand, stürzte sich dann auf mich und schlug zu. Dabei rief er zuerst etwas mit »alter Knabe« und fragte dann: »Was macht die Kunst?«
»Na ja! es geht«, sagte ich. Die Antwort auf solche Fragen variierte ich von Fall zu Fall nur gering. Es war mir niemals gelungen, eine Entgegnung zu finden, die zugleich kurz und erschöpfend ist, und es war auch nicht nötig, denn die Fragesteller schienen stets mit diesen vagen Worten zufrieden zu sein.
»Ich sehe«, fuhr dieser Mensch fort, indem er sich Frau

von Hergenrath bei der Besichtigung einiger besonders schwacher Frühwerke anschloß, »die Muse küßt dich unentwegt. Das wollen wir begießen.« Er zog eine Flasche Kognak aus der Rocktasche. In seiner Fähigkeit, sein einziges Ziel im Leben – die sogenannte Hochstimmung – zu verwirklichen, war er wahrhaftig beneidenswert. »Ein begabter Hund, was?« fragte er Frau von Hergenrath. Er meinte mich. Ich war damit beschäftigt, Gläser zu holen, sah daher nicht, ob er sie dabei – wie es seine Art war – in die Seite puffte.

Hier stieß meine Frau zu uns. Das Geräusch des Entkorkens weckt sie immer, weckt sie selbst auf einige Entfernung, es wirkt, wo Küchenwecker versagen. Sie wandelte auf uns zu und begrüßte uns verhalten. Ich hatte das Gefühl, daß sie außer mir niemanden so recht erkannte: Es wurde ihr immer ein wenig schwer, sich nach dem Mittagsschlaf im Leben zurechtzufinden, aber nach einigen Glas Schnaps gewann sie ihre – oft eigenwillige – Perspektive wieder. Engelhardt reichte ihr ein großzügiges Maß. Dann wollte er Frau von Hergenrath einschenken; sie aber legte ihre flache Hand auf das Glas und sagte, sie trinke niemals um diese Zeit. Diese Feststellung enthielt natürlich eine Spitze, auf mich gerichtet: Ein Mäzenat, dessen Nutznießer am hellichten Tag außerkünstlerischer Tätigkeit nachgehe, sei zu überprüfen! Aber diese Feinheit nahm Engelhardt nicht wahr. Unter Anwendung seiner spaßigen Überredungskunst gelang es ihm, sie zu einem sogenannten halben Gläschen zu bewegen. Damit war die Basis zur Überschreitung ihrer Vorsätze geschaffen, und hiernach sprach sie, wie man sagt, dem Kognak eifrig zu.

Leider gelang es mir nicht, Engelhardt daran zu hindern, auch dem Glaser einen Schluck anzubieten. Dieser hatte bis dahin sinnlos vor sich hingehämmert, obgleich er längst mit seiner Arbeit fertig sein mußte. Es gefiel ihm hier. Auf Engelhardts Aufforderung hin kam er nun zum Tisch, sagte: »Ich bin so frei«, und kippte sich – man kann es nicht anders ausdrücken – die Flüssigkeit in den Hals. »Ich male auch«, sagte er daraufhin zu Engelhardt, gleichsam um die Aufnahme in unseren Kreis als gerechtfertigt erscheinen zu lassen. »Wer malt nicht?« fragte dieser albern, aber damit konnte der Glaser nichts anfangen und verwickelte meine Frau in ein – freilich einseitiges – Gespräch über Kunst.
So saßen wir denn, als sich die Tür öffnete und ein mir fremdes Paar – vermutlich ein Ehepaar – eintrat. da meine Frau über dem Getränk ihre Pflichten als Gastgeberin vergessen hatte, stand ich auf und begrüßte die beiden so freundlich, wie es mir unter den Umständen gegeben war. Der Mann stellte sich vor – den Namen verstand ich nicht; ich habe beim Vorstellen noch niemals einen Namen verstanden; denn jeder Name trifft mich unvorbereitet – und sagte, er käme mit einer Empfehlung von Hébertin in Paris. »Aha, Hébertin«, sagte ich und nickte, als sei mir die mit ihm verbrachte Periode meines Lebens gegenwärtig; dabei hatte ich noch nie von ihm gehört. Ich stellte das Paar meiner Frau und den anderen vor, indem ich einige Vokale murmelte, die ich in ihrem Namen gehört zu haben glaubte, und betonte dabei die Empfehlung von Hébertin, aber dieser schien bei niemandem eine Gedankenverbindung hervorzurufen. Meine Frau holte Gläser, Engelhardt zog

eine zweite Flasche aus einer anderen Rocktasche, und schon war das Paar mit von der Partie.
Irgendwie war die Situation außer Kontrolle geraten. Erstens beunruhigte mich der Anblick dieses Glasers; er hatte seine Hand auf Frau von Hergenraths Arm gelegt und erklärte ihr soeben, daß er das male, was er sehe, aber sie hörte nicht zu, sondern trällerte leise. Zweitens hatte mich ein Gefühl hilfloser Melancholie ergriffen. Die Vision des geplantes Bildes war in sich zusammengestürzt, die Muse verhüllten Gesichtes geflohen; sie hatte nichts zurückgelassen als einen tantalisierenden Terpentinduft. Ich sah auf das unbekannte Paar. Beide rauchten Zigarre. Sie schienen sich wohl zu fühlen. Die Frau erzählte soeben meiner Frau, daß Hébertin in die Rue Marbeau gezogen sei und immer noch – leider – seiner alten Angewohnheit fröhne. Dem Mienenspiel der Frau nach zu urteilen, mußte es sich um etwas Schlimmeres als Rauschgift handeln.
Inzwischen hatte Engelhardt, der Herr der Situation, noch mehrere Leute angerufen – er selbst nannte diesen Akt: »Zusammentrommeln« – und ihnen erklärt, bei mir sei ein Fest im Gange. Er forderte sie auf, zu kommen und Freunde, Verwandte, vor allem aber Flaschen möglichst potenten Inhalts mitzubringen. Nur mit Mühe gelang es mir, den Glaser davon abzuhalten, das gleiche zu tun. Ich klopfte ihm freundschaftlich auf die Schulter und erklärte ihm, daß, wenn zu viele Leute kämen, man gegenseitig nichts mehr voneinander habe; denn das Wesentliche jeder Geselligkeit sei doch schließlich das »Gespräch«. Überraschenderweise leuchtete ihm das ein.

Zuerst kam Gerda Stoehr, flankiert von zwei älteren Herren, untadelig, mit Stil, geborene Beschützer, beide. Befremdet sahen sie sich um. Aber als ihr wuscheliger Schützling meine Frau in Kindersprache begrüßte, lächelten sie einander bestätigend zu, und der Prozeß des Auftauens begann, der nun vor nichts und niemandem mehr haltmachte.
Und dann brach der laute Schwarm der Gäste herein, jeder mit einer oder mehreren Flaschen beladen. Einige unter ihnen kannte ich, so zum Beispiel Vera Erbsam, eine intime Busenfeindin meiner Frau, die mir immer Augen gemacht hat, bis ich ihr eines Tages erzählte, daß mein Vater eine Dampfbäckerei in Dobritzburg betriebe; seitdem sah sie mich nur noch argwöhnisch an. Trotzdem war sie gekommen und hatte einen jungen Mann mitgebracht, den ich ebenfalls oberflächlich kannte, einen Assessor oder Referendar, wenn das nicht überhaupt das gleiche ist. Er sah aus wie ein Bräutigam, vermutlich war er der ihre. Dann war da ein Filmschauspielerehepaar rätselhafter Herkunft, sie hießen de Pollani, aber wohl nicht wirklich, waren wohl in Wirklichkeit auch kein Ehepaar. Ich hatte die Frau einmal gemalt, bei welcher Gelegenheit sie ihre Sonnenbrille abgenommen hatte. Ich hörte Engelhardt, der inzwischen die Rolle des Gastgebers übernommen hatte, Frau de Pollani mit »darling« anreden, womit er das Panorama der Welten, auf deren Boden er sich mit Sicherheit bewegte, um einen weiteren Ausschnitt vergrößerte.
Es ist unnötig, hier weiter auf andere Gäste als Individuen einzugehen. Um der Stimmung gerecht zu werden, genügt es, zu sagen, daß noch vor Anbruch der Nacht

der Gästekörper eine homogene Masse war, in welcher dauernd nüchterne Neuankömmlinge untertauchten, um beinahe sofort Glieder der Allgemeinheit zu werden. »Das ganze Leben müßte ein Atelierfest sein«, hörte ich nicht weit von mir einen jungen Kollegen sagen. »Das ganze Leben ist ein Atelierfest«, sagte der Bärtige neben ihm. Er war Kunstkritiker, auch berühmt für seine treffenden ex-tempore-Aphorismen. Mir fiel ein, daß ich ihn diesen Abend zum Essen eingeladen hatte, aber er schien sich mit der veränderten Situation abgefunden zu haben. Er stand da, lächelte versonnen in sein Glas und tippte dauernd mit der Schuhspitze an den fetten Schmitt-Holweg, der kolossal und trunken am Boden lag. Er war Bildhauer, trug seine Berufung mit schmerzlicher Erbitterung, der er lallend Ausdruck verlieh, und sah aus, als habe Rabelais ihn im Rausch erfunden.
Kurz vor Mitternacht wurde ich an die Wand gedrückt, und zwar mit dem Gesicht zur Mauer. Ein bacchantischer Zug wälzte sich an mir vorbei und machte es mir unmöglich, vermittels einer halben Drehung mich wenigstens auf meine eigenen Bilder setzen zu können. In dieser verzweifelten Lage entdeckte ich einen Hammer in der Tasche meines Nebenmannes. Es war der Glaser. Ich rief: »Gestatten Sie einen Augenblick« – obgleich Höflichkeit hier völlig fehl am Platz war; denn man konnte sich kaum noch verständlich machen –, nahm ihm den Hammer aus der Tasche und begann damit die Wand aufzuhauen.
Da ich hinten nicht weit ausholen durfte, um die Gäste nicht zu gefährden, war diese Arbeit anstrengend und ging recht langsam von der Hand. Zuerst bröckelte der

Putz in kleinen Scheiben ab, dann lockerte sich der Beton, der als Kies und Sand abfiel und bald mir zu Füßen einen Haufen bildete. Die Gesellschaft hinter mir schien einen Höhepunkt erreicht zu haben, aber es kümerte mich nicht. Aus der Ecke an der anderen Seite hörte ich durch den trunkenen Lärm eine Frauenstimme ein anstößiges Lied singen. Unter gewöhnlichen Umständen wäre mir das wegen Frau von Hergenrath peinlich gewesen, aber nun, da ich im Begriff war, aus dem Atelier zu schlüpfen, war es mir gleichgültig. Übrigens erkannte ich auch bald, daß es Frau von Hergenrath war, die sang: Offensichtlich besaß sie Eigenschaften, von denen ich nichts geahnt hatte, da sie wohl auch einer gewissen Entfesselung bedurften, um voll hervortreten zu können.

Das Loch wuchs. Nach einiger Zeit stieß ich auf der anderen Seite durch und konnte mit Hilfe des einbrechenden Lichtkegels die Lage im Schlafzimmer meiner Nachbarn überblicken. Sie hießen Gießlich, heißen wohl immer noch so und sind auch in gewissem Sinne wieder meine Nachbarn. Es waren modern eingestellte, dabei rechtschaffene Leute, aber diese letztere Eigenschaft hat sich nun wohl ein wenig geändert – und zwar zugunsten der ersten Eigenschaft –, und ich will meine Schuld daran nicht leugnen.

Beide hatten sich in den Betten aufgerichtet, schalteten das Licht an und begrüßten mich erstaunt, aber nicht unfreundlich; ja, ich muß sagen, sie legten eine gewisse liebevolle Nachsicht zur Schau, wie sie Künstler nur selten von seiten bürgerlicher Mitmenschen erfahren, vor allem in solch ungewöhnlichen Situationen. Vielleicht waren sie sich beim Erwachen sofort ihrer Modernität bewußt geworden. Ich grüßte aus Verlegenheit zunächst nur kurz und hämmerte weiter, bis die Öffnung die Ausmaße erreicht hatte, die sie auch jetzt noch hat. Dann fragte ich etwas unbeholfen: »Darf ich näher treten?« und schob mich, ohne die Antwort abzuwarten, hindurch.

Nachdem ich mir mit der Hand den Betonstaub von den Schultern gebürstet hatte, um diesen nächtlichen Auftritt nicht allzu improvisiert erscheinen zu lassen, sagte ich: »Bitte, entschuldigen Sie die Störung zu so später Stunde; aber ich bin gekommen, um Sie zu einem Atelierfest einzuladen, das heute Nacht bei mir stattfindet.« Pause. »Es geht sehr lustig zu.«

Die Gießlichs sahen einander an, eine Reaktion, der ich mit Erleichterung entnahm, daß meine Einladung als Gegenstand der Erörterung gelten durfte. Ich wollte sofort wieder einhaken, aber da sagte Herr Gießlich mit einem, wie mir schien, etwas süßlichen Lächeln, daß er mir zwar für die freundliche Einladung danke, aber daß ein Ehepaar in ihren Jahren, wenn auch modern eingestellt, doch wohl kaum mehr so recht in eine Versammlung von Menschen gehöre, deren gemeinsame Lebensaufgabe – nämlich die Kunst – auch ein gemeinsames Schicksal bedinge, welches sie – die Gießlichs – nun einmal nicht teilen. Aber gerade, sagte ich, Künstler haben ja eben die Eigenschaft, jeden Außenstehenden sogleich spüren zu lassen, daß er bei ihnen zu Hause sei; außerdem gäbe es bei mir da drüben eine bunte Mischung von Gästen, von adeligen Mäzenen bis zu einfachen Handwerkern. Ich entfaltete zum erstenmal in dieser

Nacht eine gewaltige Beredsamkeit, mit der ich auch schließlich die Gießlichs für das Fest zu erwärmen vermochte, ja, es gelang mir sogar, sie zu überreden, sich nicht erst anzuziehen und in Nachtgewändern hinüberzuschlüpfen, indem ich sagte, drüben seien alle recht leicht bekleidet. Das war zwar eine Lüge, aber ich verspürte das wachsende Bedürfnis, nun endlich allein zu sein.

Sie standen von ihren Betten auf. Herr Gießlich hatte einen gestreiften Pyjama an, sie trug ein Nachthemd. Er half ihr in den Morgenrock wie in einen Abendmantel und lief, nun schon ungeduldig, auf und ab, während sie sich vor ihrem Toilettenspiegel das Haar kämmte. Es war mir also tatsächlich gelungen, in ihnen Feuer und Flamme zu entfachen; nachträglich fragte ich mich, welche der Verlockungen wohl den Ausschlag gegeben hatte: die menschenfreundlichen Eigenschaften der Künstler? Oder die Gegenwart adliger Mäzene? Wenn ich durch das Loch schaue, denke ich allerdings, daß es wohl doch die Sache mit der leichten Bekleidung war, die in erschreckendem Maße zur Wahrheit wird.

Zuerst zwängte sich Herr Gießlich durch das Loch. Er muß drüben sofort festen Fuß gefaßt haben; denn er reichte von dort galant seiner Frau die Hand, als helfe er ihr, die hohen Stufen einer Droschke zu erklimmen. Ich mußte an meiner Seite zupacken; denn Frau Gießlichs Umfang war beträchtlich, ist es übrigens heute noch. Aber auch sie hatte sicheren Boden erreicht. Ich war allein.

Unter einigem Kraftaufwand schob ich den schweren Kleiderschrank vor das Loch, wo er heute noch steht.

Nun wurde es wesentlich ruhiger; denn die Kleider im Schrank dämpften den Schall. Zudem war vielleicht auch Ermattung auf dem Fest eingetreten, eine ruhigere Periode zwischen zwei Höhepunkten.
Erschöpft ließ ich mich auf eines der beiden Betten sinken und versuchte meine Situation zu überdenken, aber ich war zu müde und kam über die Verarbeitung unmittelbarer Eindrücke nicht mehr hinaus, hatte schließlich auch einen anstrengenden Abend hinter mir. Von weitem hörte ich das Pfeifen einer Lokomotive, und ich weiß noch, daß ich froh war, nun über dem Rauschen des Festes nebenan – im Augenblick schien es nicht mehr als ein Summen – andere Geräusche wahrnehmen zu können. Durch die Vorhänge sah ich, daß es heller wurde, also die Tageszeit anbrach, zu der ich, wenn ich wach bin, einer langen Bahn von Bildern, von Erinnerungen bis zu trüben Ahnungen entlanggleite. Dazwischen hörte ich das Krähen eines Hahnes; die einzige Funktion des Federviehs, die ihm Anspruch auf poetische Verarbeitung gibt, dachte ich und merkte, daß, wie so oft in ungewohnten Lagen, meine Gedanken sich selbstständig machten. Darauf schlief ich ein. Am späten Nachmittag erwachte ich. Ich sah durch das Loch. Da war das Fest noch in vollem Gange, und ich wußte, daß es nun für immer weitergehen würde.

Der Urlaub

Seit einiger Zeit erwachte Adrian bei Morgengrauen. Wie ein abziehender Nebel verließ ihn der Schlaf, sanft aber unerbittlich, und hier war er nun, ins Zwielicht der Wirklichkeit versetzt. Wie sehr er auch versuchen mochte, in diesen Schlaf zurückzufliehen, hinaufzuschweben, um einen Zipfel der Nebelwolke noch zu erhaschen, es gelang ihm nicht. Wachheit kroch ihm die Beine empor und spannte seinen Körper. So lag er dann, während sich in seinem Bewußtsein die Fäden der Wirklichkeit wieder verknüpften, die das Gestern mit dem Heute verbanden und eine Flucht nunmehr unmöglich machten. Er gab auf. Das zunehmende Tageslicht brachte die Routine täglicher Verrichtungen näher, in welcher man – wie es ihm schien – so oft zu versinken drohte.

Diese Gedanken beschäftigten ihn auch jetzt, am Morgen eines Tages, der im Zeichen wichtiger Verabredungen stand. Aus ihnen wurde er durch das Läuten des Telephons gerissen. Gleichzeitig klopfte es an der Haustür. Was zuerst? Der Tag fing also schon mit einem Dilemma an, dachte Adrian und wollte die Tür öffnen und den Klopfenden bitten, zu warten, bis er das Telephon beantwortet habe, aber seine mangelhafte Bekleidung fiel ihm ein. Er verschloß seine Ohren dem Klopfenden und ging zum Telephon.

Es war Mariella, die aus der Stadt anrief, um ihn zu einem Abendessen einzuladen. Adrian dankte und sagte, er werde sehr gern kommen.
Dann erklärte er ihr, warum es ihm unmöglich sei, wie üblich, ein längeres Gespräch zu führen, er habe verschlafen, zudem klopfe es an der Haustür, und hängte ab. Aber das Klopfen hatte aufgehört. Er ging zur Tür und sah, daß es nur der Briefträger gewesen war. Er mußte also wohl später aufgestanden sein, als er es gewöhnlich zu tun pflegte. Seine Uhr war stehengeblieben. Er hatte – wie so oft in diesen Tagen – vergessen, sie aufzuziehen. Er nahm die Post aus dem Kasten. Sie bestand aus einer vierseitigen Drucksache, die ihn zum Kauf irgendwelcher im Preis stark ermäßigter Gegenstände aufforderte, und einem Paket, wahrscheinlich einem Buch zur Besprechung. Adrian hatte einige dringende Briefe erwartet, aber so war es auch gut. Er warf die Aufforderung in den Papierkorb und steckte das Buch in die Tasche seines Mantels, um es in der Eisenbahn zu lesen. Dann ging er zum Schrank, um sich mit Sorgfalt anzukleiden.
Um in die Stadt zu gelangen, die Adrian einmal in der Woche zu besuchen pflegte, mußte er die fünf Kilometer bis zum nächsten Marktflecken zu Fuß oder mit dem Fahrrad zurücklegen und von dort eine Stunde mit der Eisenbahn fahren. Es war ein besonders warmer Novembermorgen. In der Frühe hatte noch Rauhreif gelegen, aber die Luft war voll spätsommerlicher Würze, und so war es Adrians Absicht gewesen, die fünf Kilometer zu laufen. Nun jedoch, da er sich verspätet hatte, fuhr er mit dem Rad. Als er aber an der Dorfkirche

vorbeikam, sah er auf der Turmuhr, daß es nicht später war als gewöhnlich, er also hätte zu Fuß gehen können. Deshalb fuhr er langsam; es galt, die letzte Wärme zu genießen, die das fallende Jahr noch zu bieten hatte. Erst als er am Bahnhof anlangte und erfuhr, daß er den Zug versäumt hatte, erinnerte er sich, daß die Turmuhr bereits vor geraumer Zeit stehengeblieben war, wahrscheinlich sogar seit einigen Monaten kein Werk mehr hatte.

Auf der Auskunftstafel las er, daß der nächste Zug in einer Stunde fahre. Er brachte sein Rad zum Aufbewahrungsschuppen und ging in das gegenüberliegende Gasthaus.

Während er hier in der leeren Schankstube saß, den Rücken gegen den Kachelofen ausgestreckt, und von dem Enzian trank, den er sich bestellt hatte, überkam ihn ein Gefühl der Ruhe, wie er es seit Tagen – ja, es schienen Monate – nicht mehr erfahren hatte. Er räkelte sich in körperlichem Wohlsein wie in einem warmen Bad und sah hinaus in die Novembersonne, die durch die Baumskelette in die Stube schien.

Plötzlich tauchte ein unwillkommener Gedanke auf. Er suchte ihn zu erhaschen – was war es noch? – und nach wenigen Minuten gelang es ihm: Mariella. Er hatte Datum und Zeit ihrer Abendgesellschaft vergessen, oder vielmehr, er hatte wieder einmal nicht recht zugehört. Er würde sie noch einmal anrufen müssen; nur nicht gerade jetzt. Er wollte das Wohlsein nicht unterbrechen, diesen unerwarteten Urlaub. Aber er war aufgestört; die wirkliche Ruhe kehrte nicht wieder.

Als es ihm an der Zeit schien, stand er auf und ging zum

Bahnhof. Weder Reisende noch Bahnbeamte waren zu sehen. Außerhalb des Bahnhofs liefen zwei Jungen auf den Schienen und versuchten einen Drachen steigen zu lassen. Sonst war alles still. Auf dem Rangiergeleis standen zwei Güterwagen. Sie hatten schon immer da gestanden. »Heimatbahnhof Kassel« stand auf ihnen geschrieben. Wie mochten sie hierhergekommen sein, dachte Adrian.

Er wartete einige Minuten, ging dann zum Schalter und fragte dort, ob der Zug um zehn Uhr einundvierzig nicht mehr verkehre. Der Beamte sah ihn einen Augenblick schweigend an und sagte dann – seine Stimme klang traurig aber streng, und ein wenig befriedigt, eine ungünstige Auskunft erteilen zu können, – daß dieser Zug niemals wochentags verkehrt habe, sondern nur sonntags. Heute indessen sei Dienstag. Dazu käme, daß er nur im Sommer verkehre, denn es handle sich um einen Aussichtstriebwagen. All das sei, wenn der Herr zu lesen verstehe, aus der Tafel ersichtlich.

»So so, ein Aussichtstriebwagen«, sagte Adrian, und da er sich plötzlich, wie oft in Situationen kleiner Verzweiflung, zum Scherzen aufgelegt fühlte, sagte er, daß bei ihm der Aussichtstrieb nicht stark entwickelt sei. Aber der Mann hatte sein Fenster zugeklappt. Der Kontakt mit der Beamtenwelt war wieder abgebrochen.

Adrian ging zur Auskunftstafel, um nunmehr einen Zug ausfindig zu machen, der auch im Winter verkehre, und fand einen. Die gekreuzten Hämmer hinter der Abfahrtszeit, siebzehn Uhr siebenundfünfzig, wiesen darauf hin, daß er auch wochentags fahre. Soviel immerhin wußte er.

Nun ging er zurück ins Gasthaus, zwar mit einem Gefühl der Unruhe – denn jetzt waren alle Verabredungen hinfällig geworden – aber doch auch leichten Herzens, denn er gedachte, sich wieder in den Urlaubszustand hineinzusteigern, ihn künstlich fortzusetzen. Erklärungen und Entschuldigungen – das käme später. Falls Mariellas Gesellschaft schon heute abend stattfände, was natürlich möglich war, würde er noch zur rechten Zeit kommen. Denn diese durfte er nicht versäumen. Sie war wichtiger als alles andere. Er würde Mariella anrufen. Aber nicht jetzt, nicht gerade jetzt.

In der Schankstube setzte er sich wieder auf denselben Platz und bestellte bei der Wirtin Mittagessen. Sie war froh, ihn wieder zu sehen, denn er hatte vergessen, den Enzian zu bezahlen. Auf die Frage, was er essen wolle, antwortete er vergnügt, er sei so hungrig, er könne ein ganzes Pferd verschlingen. Die Wirtin sagte, das gäbe es nicht. Dann, sagte Adrian, wolle er sich innerhalb der Grenzen des Gebotenen halten. Das Gebotene war Schnitzel.

Während Adrian auf das Essen wartete, fiel ihm das Buch in seiner Manteltasche ein. Er packte es aus. Es hieß »Auf Pfaden der Sonne«. Er öffnete es mißmutig. Auf dem Schutzumschlag stand: »Diese Sammlung echter Naturlyrik wird allen, denen die Hetze des Alltags ...« Er legte das Buch aus der Hand.

Als die Wirtin das Mittagessen brachte, fragte er sie, ob es ein Telephon im Hause gäbe. Es gab keines. Er atmete auf, war sich des Aufatmens jedoch nicht bewußt.

Der späte Nachmittag fand Adrian noch im Gasthaus. Der Himmel hatte sich verhängt, und in der Richtung des Gebirges deutete die Wolkenlage auf Schneefall hin. Die Bergspitzen waren verhüllt. Adrian hatte in der leeren Schankstube gesessen und, um sein wachsendes Unbehagen zu stillen, mehrere Gläser Enzian getrunken. Diese hatten ihn müde gemacht. Zu dem Entschluß, noch in der späten Dämmerung eine Stunde in der Eisenbahn zu sitzen, hatte er sich nicht durchringen können. Er hatte es einen Augenblick mit den »Pfaden der Sonne« versucht, aber der darin zutage tretende Reichtum an Gemüt hatte ihn in dumpfe Unlust versetzt. So hatte er die Wirtin gebeten, ihm ein Zimmer anzuweisen, und als der Nachmittagszug den Bahnhof verließ, lag Adrian in tiefem Schlaf.

Als er am nächsten Tage erwachte, lag hoher Schnee. Um ihn war alles weiß, milde und still. Seine Ruhe war zurückgekehrt. Er kleidete sich an und ging hinunter. Dort teilte ihm die Wirtin mit, während sie das Frühstück auf den Tisch stellte, daß wegen des plötzlichen, unerwarteten Schneefalls die Bahn den Verkehr in dieser Gegend habe einstellen müssen. Adrian nahm diese Nachricht mit Ruhe auf und bat sie, sein Zimmer zu heizen.

Am Nachmittag dachte er daran, vom Bahnhof in die Stadt zu telephonieren, um seinen Bekannten, und vor allem Mariella, die Lage zu erklären, aber nach einiger Überlegung sah er von diesem Plan ab. Das hätte er gestern tun müssen, als unmittelbare und – wie er sich jetzt eingestand – eigentlich selbstverständliche Reaktion auf dieses ungewöhnliche Zusammentreffen von Zufall und Nachlässigkeit. Nun waren die Verabredungen ohnehin längst hinfällig, die Abendgesellschaft vielleicht vorbei. Bei dem Gedanken an die Sorgen, die man sich seinethalben machen mochte, wurde er beinahe vergnügt. Für die nächste Zeit hierbleiben – dazu bedurfte es keinen Entschlusses. Wenn die Eisenbahn nicht verkehrte, waren die Straßen erst recht nicht befahrbar.

Aber am nächsten Tage setzte sich der Gedanke an Mariella fest und ließ sich nicht verdrängen. Er beschloß, sie anzurufen und watete durch den Schnee zum Bahnhof. Hier waren einige Arbeiter dabei, die Eisengitter, die den Bahnsteig von der Landstraße trennten, zu entfernen. Im tiefen Schnee ging ihre Arbeit lautlos von der Hand, ihr Atem dampfte. Die Telephonzelle, ehemals in das Gitter eingelassen, war verschwunden. Nachdenklich kehrte Adrian ins Gasthaus zurück. Er beschloß, über diesen Umstand keine Erkundigungen anzustellen.

Zwei Tage später ging Adrian durch das verschneite Städtchen, um einiges einzukaufen. Dabei fiel ihm ein Mangel an Geschäftigkeit auf. Es waren wenig Leute auf den Straßen zu sehen. Er erklärte sich dies mit dem hohen Schnee. Als er aber später seine Beobachtung der Wirtin mitteilte, sagte sie, das Städtchen habe innerhalb der letzten Monate an Bevölkerung verloren, da die Erwerbsmöglichkeiten immer geringer würden. Auch sie werde bald weggehen.

Wie wäre es, dachte Adrian, in einem ausgestorbenen Marktflecken zu leben? Der Gedanke an solch seltsame, freiwillige Vereinsamung gab zu der Art phantastischer Vorstellungen Anlaß, bei denen er oft und gern verweilte. Dennoch beschloß er – ganz unverbindlich – sich

einmal wieder die Auskunftstafel zu besehen. Den Entschluß zu reisen werde er sich vorbehalten. Und eines Tages – es war wieder wärmer und es hatte getaut – ging er hinüber zum Bahnhof. Die Auskunftstafel war verschwunden. Er klopfte an den Schalter. Niemand öffnete. Beunruhigt ging er durch die offene Sperre auf den Bahnsteig. Hier waren einige Arbeiter dabei, die Schienen abzumontieren.
»Was machen Sie denn da?« rief er, als gelte es, jemanden von einer unüberlegten Tat abzuhalten. Nun erfuhr Adrian, daß, infolge mangelnder Benützung der Bahnlinie, das Netz verlegt werde. Das Städtchen läge also in Zukunft nicht mehr an der Eisenbahn. Und in der Tat, das Bahnhofsgelände war bereits verödet, ein Teil des Gebäudes abgetragen, das Glas aus den Fenstern entfernt, die, nun schwarze Löcher, ihm das Aussehen einer Ruine gaben. Die Plakate waren abgerissen, die mannigfachen Verbotstafeln entfernt. Auch die beiden Güterwagen waren verschwunden. Sie waren wohl in ihre Heimat zurückgekehrt, nach Kassel.
Nun packte ihn Angst. Er eilte zum Aufbewahrungsschuppen, um sein Fahrrad zu holen. Es stand noch da, naß und verdreckt. Er riß es an sich und fuhr davon, ohne sich umzusehen; zuerst einige beschwerliche Kilometer auf schlammigen Feldwegen, dann bog er jenseits der ehemaligen Unterführung – hier waren die Geleise schon entfernt – in die Landstraße ein, in der Richtung auf die Stadt zu, wo er nach mehreren Stunden anlangte. Seine Kehle war ausgetrocknet, der Schweiß lief ihm von den Schläfen. Wie ein Nachtwandler fuhr er, weder auf Verkehrslichter noch auf Passanten achtend,

auf Mariellas Haus zu. Er lehnte das Fahrrad an die Wand und klingelte stürmisch an der Haustür. Nach einer Weile wurde sie geöffnet; es war Mariella selbst.
»Mariella« rief er, aber seine Stimme war tonlos, so daß es wie ein Seufzer klang.
»Wie immer, der Letzte«, sagte sie lächelnd und küßte ihn, »wir warten schon alle auf dich. Übrigens siehst du aus, als wolltest du dich erst einmal waschen. Aber beeile dich! Das Essen wird soeben aufgetragen.«

Der Brei auf unserem Herd

Ein Brei steht auf unser aller Herd. Um ihn so recht kräftig und gründlich zu verderben, bedarf es vieler Köche. Der erste ist der pausbäckige Koch unserer frühesten Jahre und somit gar kein wirklicher Koch, sondern vielmehr ein Zuckerbäcker. Noch heute laboriert der Wakkere unter der Vorstellung, daß Safran den Kuchen gel mache, eine Ansicht, mit welcher man es nun einmal nicht mehr sehr weit bringt, in dieser Zeit. Indessen, unser Freund ist so wenig belehrbar, wie wir es in der Kindheit waren. Gleich einem im Ohrenstuhl dahindämmernden Ahnen verbreitet er, auf gewisse mildverhaltene Weise, ein Fluidum starrköpfiger Unzugänglichkeit; natürlich nur, wenn wir von Gebieten sprechen, die er ehemals die seinen nennen durfte. Stumm und vorwurfsvoll, als sei es unsere Schuld, daß die Jahrhunderte vergehen, deutet er dann auf die, gewiß prächtigen, blankgeschniegelten, kupferleuchtenden Napfkuchenformen in der Küche des Goethehauses zu Frankfurt. Nun, so gern man auch diesem stummen Verweis eine innere Beziehung, etwa in Form einer ewigen Wahrheit, entnehmen möchte, – denn schließlich hat ein jeder von uns seinen kleinen Biedermeier im Blut und hängt verschämt und innig an den Zeiten plätzchenbackenden, lampenputzenden Scher- und Licht-

verbietenden Gesindes, – so ist nunmehr doch die Bemerkung am Platz, daß wir in einem anderen Zeitalter leben, was ja, letzten Endes, auch der Fall ist. Man kleide diese Bemerkung jedoch in schonende Worte und streue sie beiläufig hin, wie ein winziges Gewürz zu einem ohnehin schon gelungenen Gericht: wir wollen unseren guten Kinderkoch nicht kränken. Aber er hört ihn doch, den kleinen Mißton in unserer glatten Melodie; und mit seinen beiden staubzuckerweißen Händen macht er eine Geste der Resignation, als könne er uns dann eben nicht helfen. Er kann es auch nicht. Daß er derjenige ist, welcher der Hilfe bedarf, sollte aus Gründen der ihm schuldigen Hochachtung nicht erwähnt werden. Er ist für seine Zeitbedingtheit zur Genüge bestraft, so wie wir für den anfänglichen Glauben, dies sei der Mann, der unseren Brei verderben könne.
Wir sind also frei, den zweiten Koch hinzuzuziehen. Dieser ist der Koch des Bischofs von Mozambique. Unser Geheiß erreicht ihn in Äschwyl am Gurtensee, wo er, nach zehn dörrigen Tropenjahren, die auch an ihm nicht spurlos vorübergegangen sind, einen mehrmonatigen und verdienten Urlaub verbringt. Äschwyl ist eine wohlgeordnete, trutzige, schießschartige Stadt, die seit der Schlacht bei Sempach eine gewisse heimatkundliche Bedeutung besitzt und diese Bedeutung wie ein hübsches Schätzchen hütet. Sie liegt in den Schweizer Jurabergen, unser Koch ist also Schweizer, wie übrigens auch sein Herr, der Bischof: ein weiser grundgütiger Diabetiker, der auch das unscheinbarste, nackteste Negerkind wie seinesgleichen behandelt, und auf diese Weise schönere Bekehrungserfolge zu buchen hat als mancher funkel-

äugige, glaubensglühende, kreuz- und kettenschwingende Kapuzinerpater, der für die bunten Totempfähle und Tabuzeichen nur grimmige, zerstörerische Verachtung hegt oder ein blindes Auge hat oder gar beides – hegt und hat. Aber das gehört eigentlich nicht hierher.
Der Koch heißt entweder Kuno oder Kaspar, – man entscheide sich! – und fühlt sich, im großen ganzen, unter den allumfassenden, schwarzsamtenen Fittichen seines Herrn und Hirten wohl. Denn es fällt manches gute, ermunternde Wort für ihn ab, und dazu ein reichlicher Lohn, freilich mehr nicht. Denn der Bischof lebt streng nach den Regeln der Diät; und so bedauert es sein Koch manchmal zutiefst, der guten Sachen zu dienen, anstatt vielen guten Sachen. Seine kühnen Jugendpläne von magyarischem Paprikagulasch und frühserbischem Zwiebelschaschlik hat er in Grieß und Milchreis begraben müssen; und noch heute träumt er, wenn er, an besonders heißen Tagen, nur mit kurzem Lendenschurz und Kopfschmuck bekleidet unter einer Dattelpalme nachmittägliche Siesta hält, von einem wilden Negergericht, in riesigen eisernen Kesseln zubereitet, einer dunkelschillernden Sauce, gebraut unter kannibalischen Beschwörungen, zum Rhythmus der Dschungeltrommeln, vom maskenstarrenden Medizinmann eigenhändig gewürzt. – Nur wer selbst keinen Jugendtraum hat begraben müssen, wird Kuno oder Kaspar diese Ausschweifung verübeln.
Er kommt. Mit dem Fahrrad, denn es gilt, die Ferien zu genießen, und sei es auch nur im Gewand von Löwenzahn oder Wiesenschaumkraut am Straßenrand. Die Begrüßung der beiden Köche ist kollegial, ja beinahe

herzlich. Schließlich hat man dieselben Neigungen, dasselbe Ziel im Leben gewählt. So etwas bindet. Zudem haben wir es bei beiden mit ausgeglichenen Temperamenten zu tun, demütig-milden Naturen, nicht mit Virtuosen in lodernder Rivalität oder schwelender Nebenbuhlschaft: Mozambique ist zwar beinahe so fern wie das Land unserer Kindheit, aber eben in einer anderen Richtung; man gerät einander nicht ins Gehege. Topf- und Pfannenreiche sind wohl abgegrenzt, und es liegen Wüsten, Meere und Dekaden dazwischen. Keiner der beiden wußte bisher vom anderen. Wir indessen wissen nur, daß der erste keinen Brei verderben kann. Kann es der zweite? Wir wollen nicht vorgreifen: die zeitliche Folge ist es, die das Wesentliche dieses Berichtes ausmacht.

Kuno – bleiben wir der Einfachheit halber, bei der Wahl dieses Namens – lüpft den Deckel und guckt in den Topf. Er taucht den Finger bis zum Knöchel in den milchigen Grieß, hält ihn dort – seine Gliedmaßen sind an Hitze gewöhnt –, schließt die Augen und zählt bis drei. Dann zieht er den Finger aus dem Brei und leckt ihn ab. Er schaltet eine kleine Kunstpause ein – auch ein Zubereiter leichter Diäten nimmt gern die Gelegenheit wahr, sich einer kleinen Allüre hinzugeben, – dann blickt er ein wenig traurig auf einen unbestimmten Punkt und schüttelt sachte den Kopf. Die beiden Köche sehen einander an: eine gewisse Ratlosigkeit schwebt im dunstig-schwadigen Raum, es ist, als spüre man sekundenlang den Flügelschlag der Parzen. Was nun? – Taktvoll wenden wir den Blick ab: sind wir doch nicht gern Zeugen stummer Eingeständnisse von Scheitern oder Versagen. Und so verlassen wir die Breiküche auf Zehenspitzen, nachdenklich über den Umstand, daß die Spannungen unserer Zeit sich mitunter in Regionen schleichen, wo man sie gemeinhin nicht vermuten würde.

Neugier treibt uns nach geraumer Zeit wieder an den Ort des Geschehens. Die beiden Köche sitzen neben dem Herd, nennen einander bei Vornamen – der erste heißt Philip – und spielen Halma, oder Mühle, jedenfalls ein Brettspiel.

Man ist erfreut, von einem unguten Gefühl erlöst; dennoch wäre es ganz und gar falsch, durch Wort oder Miene zu verraten, daß diese Eintracht ungewöhnlich sei. Im Gegenteil: man tut so, als sei sie die natürlichste Sache der Welt, oder zumindest eine der natürlichsten. Man geht grüßend, vielleicht gar scherzend, vorüber, lüftet im Vorbeigehen den Deckel vom Topf: der Brei sieht um weniges anders aus, als die Breis vergangener Zeiten, von unseren über-alles-geliebten, kosenamigen Kindermädchen zwischen Bilderbuchreim und herzhaftem Pusten als »lecker« bezeichnet: gewiß: nicht mehr so locker, so schaumig wie zuvor, dennoch: unverdorben. Eine Löffelprobe, – und unser Gaumen bestätigt den Eindruck des Auges. Was hat der gute Kuno getan? Den Mondamingehalt hat er verstärkt, wobei er gewiß an seinen Bischof gedacht hat, der ja, wie anfangs erwähnt, nicht nur nach den Regeln Gottes, sondern auch nach den – völlig anders gearteten – Regeln des Kalorien- und Eiweißgehaltes lebt, womit er seine mönchskargen Zellen aufbaut. – Wer würde es wagen, Kuno zu rügen? Einzig unsere Schuld ist es ja, daß es hier nicht um

Gedeih, sondern um Verderb geht. Unser geduldiger Blick streift die beiden Köche, zu gut für diese Zeit, zu milde für diese Welt. Unsere Gedanken indessen schweifen fremden Kapazitäten zu.
Und nicht ohne Zögern greifen wir denn zu Gaston. Gaston! Jedermann kennt ihn, kennt diese zwei allzu weltlich-verheißungsvollen Silben und spricht sie mit größerer Hochachtung aus als manchen suada-langen, gutturalen spanischen Grandentitel, und jedenfalls mit weitaus mehr gaumigem, mundwässerndem Genuß. Viele Jahre ist es her, daß der in Brüssel gestrandete und im dortigen Gourmet-Viertel ansässige Onkel, das unregelmäßige Glied an der Ahnenreihe, uns als Jüngling abends in das kleine Kenner-Restaurant »Chez Gaston« mitgenommen hat, in welchem er das männliche Personal beim Vornamen, das weibliche beim Kosenamen nannte, in der Hoffnung, durch dieses und ähnliches urbanes Gebaren den Weltmann auch in uns wachzurufen, mit dem er sodann in lästerlichem Spießgesellentum über die – wie er es nannte – zu gerade gewachsene Familieneiche herziehen könne. Seitdem ist uns Gaston, schon damals ein Mann von großer gastronomischer Weitsicht und entsprechendem körperlichen Umfang, in lebhafter, öliger Erinnerung geblieben. Man selbst hat (übrigens trotz aufschlußreichen anschließenden Varietébesuches) den Boden bürgerlicher Solidität nicht verlassen, – oder ist zumindest, nach kurzer heimlicher Ausschweifung, kleinlaut und geläutert auf diesen Boden zurückgekehrt –, der Onkel dagegen hat sich bald darauf Hals über Kopf in die Ohrringe einer brasilianischen Abenteuerin verstrickt und ist im bürgerlichen Sinne

nicht mehr existent, – Gaston jedoch webt, wie zu erwarten war, an seinem vorgeschriebenen Lebensmuster weiter: potent, despotisch, und durchaus nicht ohne die Grillen eines Mannes internationaler Konsequenz und Bedeutung ragt er, massiv wie ein Monument der Ehrwürde, aus einer wachsenden Enkelschar, in seinem Salon, wo die gilbenden, hand-signierten Photographien der großen, schnurr- und backenbärtigen Staatsmänner hängen, die sich, triefend und schnalzend, mit unter dem Doppelkinn befestigter Serviette an seinen Angouillettes au brisard rôti aufs köstlichste ergötzt und sich vielleicht für immerdar ein kleines, stichelndes Gallenleiden zugezogen haben.

Denn Gaston hat es mit dem Öl! Es ist sein Element und sein Geheimnis, das er wohl und weislich hütet, hinter seiner Meisterschürze, auf welcher die Spuren der Tatarensteaks von Jahrzehnten sich abheben, in kühnen, strotzenden Spritzflecken, wie die Handschrift eines Herrschers unter einem Todesurteil.

Übrigens bedeutet der Name »Gaston«, nach neuerer Forschung, auf altwallonisch »Öl«. Nur – und das muß ich hier leider betonen – handelt es sich bei diesem nicht um das herrliche zitronenduftende Olivenöl, diese von Apollon und Demeter gesegnete Ernte, Frucht silbergrüner, brisendurchwehter Haine von Argolis und Delphi, sondern um schwerflüssiges niederflämisches Öl, das aus den stehenden Gewässern dunkellebiger, aufrührerischer Städte wie Brügge und Gent gewonnen wird, und, wie manche spitzenklöppelnde Beghine aus alten Chroniken zu berichten weiß, sogar Rückstände aus irdischen Resten der düsteren Grafen von Flandern enthält. Es ist gleichsam der Abfall der Niederlande. Dies nur eine kleine Warnung für den sensiblen Feinschmecker. Der draufgängerische Gourmand wird ihrer nicht achten.

Ein kurzes Wort noch über Gastons Äußeres: eine stattliche, bombastische Erscheinung; Menschen mit heraldisch-historischer Phantasie – deren es leider immer weniger gibt – möchten ihn gar einem alternden nordromanischen Tambourmajor vergleichen – dies jedoch nur vor seiner Mahlzeit. Nach seiner Mahlzeit gleicht er eher einer der liegenden Figuren auf Brueghels Gemälde der fetten Küche: ein Vergleich übrigens, an dem Gaston selbst sich gern und oft delektiert: dann fühlt er sich als einer der Großen seines Vaterlandes, der von einem ebenbürtigen Meister vorausgeahnt, sozusagen entworfen ist.

Man holt Gaston vom Bahnhof ab. Er entsteigt dem Kurswagen Ostende – St. Pölten – Nisch (mit Anschluß über Cszsewsczs nach Sofija). Er trägt einen hölzernen Koffer, den ihm seine Frau sorgfältig mit einem Seil verschnürt hat, einen braunweiß karierten Anzug, hellgraue wildlederne Schuhe mit feinem, in glitschigen Küchen erworbenen Speckrand, einen Strauß Gewürznelken im Knopfloch, ein Salbei-getränktes Seidentaschentuch in der Brusttasche, Rosmarin und Öl in Haupthaar und Schnurrbart, welch beide Requisiten er in der Mitte peinlich genau gescheitelt trägt, wie ein Sportsmann der Jahrhundertwende auf einem Bild des göttlichen Zöllners. Im Taxi zwischen Bahnhof und Küche erläutern wir ihm die Lage in Stichworten, denn wir wissen, daß hinter der Gastronomenstirn das Adjektiv nicht Platz findet, von der Metapher – die wir so lieben – ganz zu schweigen. Gaston nickt ein paarmal mit geziemendem Ernst: handelt es sich doch für ihn um eine Konsultation, wie das Berufsleben des Berufenen sie mit sich bringt.

Die Begrüßung der drei Köche ist kühl aber höflich. Sie sollte wiederum durch ein Scherzwort – am besten ein naheliegendes aus kulinarischen Bereichen – gelockert werden. Aber das ist nicht jedermanns Sache. Gemeingültige Regeln gibt es für solche Fälle nicht, und das ist gut so: wer den Mut hat, sich eine Aufgabe zu stellen, dem wird es Genugtuung bereiten, auf die ihm eigene Art damit fertig zu werden. Ein kurzer Bericht der Probe sei hier gegeben: Gaston streift mit den Fingerspitzen Ärmel und Manschetten hoch, vollführt mit den Handgelenken die schlenkernde Dreh-Bewegung eines Zauberkünstlers, hebt den Deckel vom Topf, streift sanft mit dem Handrücken über die brodelnde Fläche, zieht die Hand zurück, betrachtet die Rückenfläche, runzelt die schmale Stirn, führt die Hand zur Wange, streift langsam mit dem Handrücken darüber, so daß kleine Breiklößchen in den Stoppeln des Backenbartes hängen bleiben, zieht einen Taschenspiegel aus der Weste und betrachtet Bart und Wange. Dann schüttelt er den Kopf, zieht sich die Jacke aus, knöpft die Weste auf, krempelt die Ärmel hoch und bindet sich die Schürze vor.

Wir entfernen uns. Wir möchten nicht stören, wenn er sein Geheimnis unter der Schürze hervorzieht. Wir wissen auch nicht, ob er die anderen Köche hinausschickt, um ihnen das vielleicht allzu simple Kolumbus-Ei seiner

Weltgeltung nicht offenbaren zu müssen. Jedenfalls stehen sie, gleich willigen Jüngern, neben ihm, wenn wir die Küche wieder betreten.
Der Brei ist um einige Nuancen dunkler geworden. Dahin, ach, dahin ist der altweiße, lirum-larum-löffelstielverheißende Ton, die zarthäutige Oberfläche des Kindergerichts ist weggeblasen. Sie ist einem dunklen Ölspiegel gewichen, auf welchem gestampfter kaukasischer Zimt liegt, wie Blätter auf der Pfütze im herbstlich-verlassenen Park. Gaston rührt einmal um und gibt uns zu kosten. Seltsam schmeckt es, gewiß. Ungewohnt. Ein Aroma, dessen Reiz vielleicht ein wenig durch mangelnde Kontrollierbarkeit gemindert wird. Ein zarter aber dauerhafter Geschmackston ist ihm zu eigen, ein kleiner Hautgoût möchte man beinahe sagen, wäre dieser Begriff in Zusammenhang mit Brei nicht widersinnig. Aber verdorben? Nein. Noch nicht.
Was nun?
Nun, – man hat vorgesorgt, in weiser Ahnung, daß unser Gaston wohl die Richtung anzugeben vermöchte, nicht aber den Weg bis ans Ziel zu führen. Man hat eine langwierige und nicht unbeschwerliche Korrespondenz geführt, – in den fernen Osten, und zwar im Wong-Dialekt der chinesischen Südprovinzen, in welchen die großen Reedereien dieses wahrhaft unermeßlichen Reiches liegen, (und nicht im Norden, wie manch einer irrigerweise annimmt.) Es geht um den chinesischen Schiffskoch, welchen zuzuziehen es nunmehr gilt.
Er ist bereits unseres Winkes gewärtig. Sein Familienname ist Lü, sein Vorname jedoch seltsamerweise Marcus, denn er ist christlich getauft, in einer inmitten

wogender Reisstauden versteckten, dennoch sehr aktiven Missions-Station an den Gestaden des ungeheuerlichen, schlammgelb dahinfließenden Yang-Tse-Stromes. Im Laufe seines wechselvollen Lebens hat er auf manchem Schiff gedient, auf schaukeligen, zierlichen Dinghis sowie auf klobigen Barken. Er hat manchen bunten Papagei in Hafenschenken erschachert, manchen strohigen Schiffszwieback gebacken, Dörrfleisch gedörrt, schmale Heringe gesalzen und Sardinen fein säuberlich in Büchsen gelegt, hat in fernöstlichen Hoheitsgewässern manchem einäugigen Piraten gegenübergestanden und weiß von nackten, schweißtriefenden Faustkämpfen auf berstenden Schiffsbrettern unter unbarmherzigen Sonnen zu berichten, – alles mit gleichmütig froher Miene, die ein Spiegel seiner rechtschaffenen und kindlich-demütigen Seele ist. Sein Traum, eine Weiß- und Feinwäscherei in Cincinnati zu eröffnen, steht kurz vor der Verwirklichung. Weise und zielbewußt, hat er sich vor Ausschweifung und Familiengründung zurückgehalten und auf diese Art manch blanken Yen zurücklegen können. Nur wenige Jahre noch gedenkt er zu dienen, und zwar am rostenden Schiffsherd der Handelsfregatte »Tschung-Minh« einer ehemaligen Lust-Yacht, erbaut kurz vor den Greueln des Boxeraufstandes, und zwar für den Kaiser von China und seine blütenmündige, elfenbeinhändige Gemahlin, die damit an schilfbewachsenen Ufern und Korallenriffen vorüber zu ihren berühmten Inselgärten fuhren, wo sie – es war die unvergeßliche Zeit der chinesischen Lustbarkeiten – von Sklavinnen gefächelt, in Grotten von grüner Jade ihren grünen Tee nahmen. Dies also ist unser neuer Mann.

Aber, um es kurz zu sagen: es gelingt ihm wohl, den Brei in einen Zustand zweifelhafter Genießbarkeit zu versetzen: steinhart, so daß wir nur mit Hammer und Meißel kristallförmige Brocken zu lösen vermögen, welche freilich im Mund sogleich schmelzen wie türkischer Honig und schmecken wie süßer Rindertalg, – aber verdorben ist der Brei noch nicht. Und so greifen wir denn, wie wir annehmen, zum Äußersten: der Koch des britischen Schatzkanzlers muß her.

Zunächst ein Wort über den Schatzkanzler: er ist ein ruhiger, überlegter Oxford-Absolvent, der sein seelisches Equilibrium in jeder Lebenslage zu wahren weiß, ohne sich dieser Gabe in Gesellschaft jemals zu rühmen. Der Tradition zutiefst verwurzelt, steht er seinen Mann bei der Fuchsjagd, beim Cricket und im Parlament; unter seiner schmalen, in jahrelanger Selbstbeherrschung steif gewordenen Oberlippe hat er seine Pfeifen und seine Redensarten, die er, der Gelegenheit gemäß, ein- und absetzt.

Freilich: seinen Koch leiht er ungern her, aber er ist zu beherrscht, um etwa Mißmut aufkommen zu lassen, geschweige denn ihn sich einzugestehen oder gar ihn zu zeigen. Er hat es auch damals nicht getan – und nur vertraute Freunde im Club erkannten seinen Unmut an einem senkrechten Stirnfältchen–, als ein Geheiß der Königin Viktoria ihn zu diesem Opfer zwang. Allerdings waren die Umstände damals um einiges anders als in unserem Falle. Die verehrte Königin konnte, wegen einer kleinen Unpäßlichkeit, zu welcher sich auch noch ein Radnabenbruch gesellte, ihre Kutschenreise durch die westlichen Grafschaften nicht fortsetzen und mußte in jener fachwerkigen, windschiefen, holzknarrenden Tudorschenke übernachten, die noch heute, in ihrer originalen Fassung von 1498, das Ausflugsziel ehrfürchtiger Monarchisten ist: denn einer der tragenden Balken des Dachgeschosses gehörte einst zum Flaggschiff Jakobs des Ersten: eine leutselige Stiftung der großherzigen Frau als Dank für unvorhergesehene Mühe. Man sagt jedoch, daß ihr Geschenk um einiges großzügiger ausgefallen wäre, hätte der Wirt ihr auch eine Mahlzeit servieren können. Dieser aber, einer jener mürrischen knurrigen Rauh-Beine und -Bauze mit einem Herzen voller geheimer Sonne, kurz, einer jener Typen, deren es so viele gibt – wenn auch nicht im Leben – hätte der Herrscherin nichts vorzusetzen vermocht als ein Welsh rarebit, da er nämlich, ein ehemaliger Sergeant bei den Royal Fusiliers, einen Arm auf dem Exerzierplatz hatte lassen müssen und im Kochen diesem Umstand entsprechend behindert war. Die Königin indessen, deren Abneigungen gegen Käse ja inzwischen sprichwörtlich geworden ist, war nicht gewillt, mit dieser Speise vorlieb zu nehmen, und so wandte man sich an den Schatzkanzler, – damals ein fünfzigjähriger vielversprechender Parlamentarier – dessen Landsitz keine sechs Meilen entfernt lag. Der Koch kam und bereitete der Königin einen Christmas-pudding, der ihm den Hosenbandorden mit Stern eintrug, sowie einen – freilich nicht erblichen – Adelstitel. Soweit diese Begebenheit, welche mir, in solchem Zusammenhang, erwähnenswert erschien. Demjenigen Leser, welchem meine Schilderung nicht ausführlich genug ist, empfehle ich die Lektüre von Dickens, in dessen Werk diese Anekdote zwar nicht

zu finden ist, der aber die Auslassung durch Vorzüge auf anderen Gebieten wettmacht.
Wir wissen, daß sich der Schatzkanzler unserem kleinen Gesuch nicht versagen kann, ohne bei der europäischen Jugend wesentlich von seinem ohnehin schon wankenden Nimbus einzubüßen. Seit über einem halben Jahrhundert schon spricht er von Völkerverständigung, ja, er hat dieses schöne Wort erfunden. Nun, – wir nehmen ihn bei diesem Wort.
Und der Koch kommt, in seinem Gefährt von 1904, welches aber immer noch so läuft, als sei es von 1912. Er heißt Sir Edward, trägt einen steifen Hut, gestreifte Hosen, Cutaway, eine graue Weste und einen Feldstecher um die Schulter. Denn er hat unterwegs Singvögel beobachtet, sein Steckenpferd, auch bei Regen, Schnee, Hagel oder Nebel: Menschen seines Schlages sind unempfindlich gegen die Widrigkeiten des Wetters und der Zeit. Gemessenen Schrittes tritt er ein, begrüßt die anderen Köche mit kaum hörbarer – aber auch wieder nicht überhörbarer – Herablassung, geht zum Brei, kostet ihn, lobt mit kühler Höflichkeit den augenblicklichen Stand der Verderbnis und meint, man sei eben doch in vielen Dingen auf dem Kontinent weiter als auf dem Inselreich. Keiner widerspricht, denn er hat recht. Andererseits, meint er, habe das Inselreich auch seine Vorzüge, womit er ebenfalls recht hat. Dann legt er Hut und Feldstecher ab und sagt, angesichts dieser großen Leistung bleibe ihm nur noch ein Scherflein beizutragen. Ein Lächeln der Genugtuung über dieses Lob breitet sich auf den Gesichtern der anderen Köche aus. Vor allem Marcus Lü strahlt, obgleich er gar nicht weiß

was ein Scherflein ist. Aber er strahlt eben immer, der Gute. Man entfernt sich, stapft unruhig und erwartungsvoll durch den matschigen Schnee der Straßen, in denen laue Windstöße die Passanten hin und her treiben, – denn es ist über alledem Vorfrühling geworden – aber bald lockt es uns zurück zum Brei.
Wir betreten die Küche. Die fünf Köche stehen um den Herd, jeder mit Gewürzfäßchen in der Hand, und lächeln in herzerquickender, völkerversöhnender Einigkeit. »After you«, sagt soeben Sir Edward zu Gaston, der darauf mit fetten Fingern eine größere Prise Paprika in den Brei streut, die der Brite sofort mit einer Lage gestoßener Korianderkörner bedeckt. Der alte Philip dagegen ist bei seinem Safran geblieben, während Kuno und Marcus nun mit großen, ausholenden Gebärden eine ganze Saat von Pimento und Thymian in den Topf schütten, die allerdings sogleich von der inzwischen wieder flüssigen, brodelnden Masse verschlungen wird. Lorbeerblattbedeckt sind Tische und Stühle, am Boden rollen Muskatnüsse, Basilikum und goldgelber Portulak scheinen aus den Nischen zu sprießen, nicht zu reden von spanischem Pfeffer und Salz.
Wir hüpfen zum Herd. Die Köche machen uns Platz. Wir ziehen den Topf von der Flamme und sehen hinein: Das Brodeln verstummt sofort, die Masse verhärtet sich: ein dunkelbraun verkrusteter Klumpen sieht uns an, mit grauen Krater-Augen, unter denen gelbliche Mehl- und Grießkugeln schillern. Man schabt sich eine Messerspitze von der Oberfläche ab und kostet. Der Geschmack ist nicht angenehm, gewiß. Aber würde etwa ein Verhungernder nicht doch davon essen?

Während wir uns still und nachdenklich diese Frage stellen, öffnet sich die Tür, und ein dicker, kleiner Herr tritt ein: dunkler Anzug, hellgraue Krawatte, glänzender Kugelkopf, nach der einen Seite in fleischigen Kaskaden ausladend, nach der anderen in ein Gesicht. Er stellt sich vor. Er heißt Blutzbach oder Blitzhaus, oder so ähnlich. Mit Vornamen heißt er, wie er sehr ernsthaft behauptet: »Gestatten«.

Er zieht ein winziges Fläschchen aus der Tasche und träufelt zwei Tropfen einer violetten Flüssigkeit in den Brei. Es zischt, Schwefeldampf verbreitet sich im Raum, und im Topf befindet sich ein blauer Kloß, gelblich durchzogen, marmoriert wie negativ gesehener Gorgonzola.

Ein Blick genügt: es ist soweit.

Der Brei ist verdorben.

Man bedankt sich herzlich bei den Anwesenden, lobt ihre selbstlose Hingabe und sagt, daß es nicht umsonst gewesen sei. Den Brei garniert man mit ein wenig frischer Petersilie und fächerförmig geschnittener Gewürzgurke und serviert ihn heiß, auf vorgewärmten Tellern.

Schläferung
für h. m. e.

laß mich heut nacht in der gitarre schlafen
in der verwunderten gitarre der nacht
laß mich ruhn
im zerbrochenen holz
laß meine hände schlafen
auf ihren saiten
meine verwunderten hände
laß schlafen
das süße holz
laß meine saiten
laß die nacht
auf den vergessenen griffen ruhn
meine zerbrochenen hände
laß schlafen
auf den süßen saiten
im verwunderten holz

hans magnus enzensberger

Ich werd heute nacht in der Gitarre schlafen.
Sie liegt bereit, auf dem rechteckigen Holztisch, in meinem großen getäfelten Raum mit den drei hohen Fenstern. Sie liegt allein, ist nicht etwa Teil eines idyllischen Interieurs oder eines niederländischen Stillebens. Ich plane kein Bild, ich plane meinen Schlaf.
Der Einstieg in das Instrument bietet keine Schwierigkeit, ich habe alles geprüft, alles ist vermessen: sein Dach ist gebrochen, ein doppelter Riß zieht sich im Holz beiderseits der Schallrose vom äußersten Rand ihrer Rundung abwärts, wo er, habwegs zwischen Rose und

Saitenhalter, versickert. Das Holz ist also nur der Faser entlang gespalten. Verliefe die Spaltung quer, so wäre das Instrument nicht mehr zu gebrauchen. Das Stück Dach zwischen den Rissen federt leicht einwärts. Hier also werde ich die Saiten anheben wie den Drahtzaun einer verbotenen Kuhwiese, werde die durch den doppelten Bruch entstandene Latte leicht einwärts biegen, auf ihr, mich an den Metallsaiten entlangziehend, abwärts rutschen, vorsichtig, um die Risse nicht zu verlängern, und werde durch das Loch der Rose in den Körper schlüpfen.
Es kommt mir der Umstand zugute, daß die geschnitzte Füllung der Rose, die ihr ehemals – lang vor meiner Zeit – das Aussehen einer gotischen Kirchenrosette gab, verschwunden ist. Die Zeit hat es gefressen, hat übrigens auch an den Rändern genagt, aus der Intarsie ein wenig Perlmutter und Ebenholz geknabbert. Dafür hat sie das Holz getrocknet und gedunkelt und damit den Klang veredelt.
Ich werde freilich darauf achten müssen, daß ich schon außen beim Einstieg die körperliche Haltung annehme, die ich innen beim Liegen einzunehmen wünsche, da der Resonanzraum es mir nicht gestattet, mich in ihm wesentlich zu bewegen, geschweige denn zu wenden. Ich werde daher rücklings rutschen, Kopf vorab und in die Rose – ein kleiner Akt akrobatischer Gelenkigkeit, den ich bereits ein wenig geprobt habe –, werde Rumpf und Beine nachziehen und so zwischen Boden und Dach in die Zarge eingleiten. Hier dann werde ich mich einrichten und so zu betten wissen, daß mein Rückgrat, das ich nie gesehen habe, auf dessen aufrechte Fähigkeiten

ich mich aber schon in mancher heiklen Lage habe verlassen dürfen, sich dieses eine und damit letzte Mal als Schlange bewährt und sich den Rundungen der Zarge anpaßt. Habe ich dann die richtige Ruhestellung gefunden, so werde ich in ihr verharren, ich werde sanft und süß im Holz liegen, während ich den rechten Arm durch die Rose stecke und die Saiten von innen anschlage, ad libitum. Es ist nur ein einziger Akkord, mein Akkord. Auf ihn und nur auf ihn habe ich die Saiten gestimmt. Die anderen Griffe habe ich vergessen, brauche sie auch nicht, sie würden meine Schläferung nur behindern.

Daher bleibt auch mein linker Arm müßig. Ihn bette ich seitlich über den Körper, da mir die Enge der Zarge nicht gestattet, ihn entspannt neben mir zu halten. Auch würden mich vermutlich die verhärteten Leimperlen stören, die in ungleichen Abständen die Hohlkehle säumen. Sie sind vielleicht nicht schön, sind aber der Stoff, der ein schönes Gefüge zusammenhält. Auch das edelste Instrument bedient sich innerer Unfertigkeiten, um ein vollkommenes Gesicht zu zeigen.

Ich sage: das edelste Instrument. Meine Gitarre ist ein edles Instrument, ohne Zweifel, aber es gibt edlere Instrumente. Dieser Gedanke hat mich anfangs ein wenig bekümmert. Das Gehäuse meiner Schläferung, so dachte ich, hätte eine Laute sein sollen, oder gar ihre ältere Schwester, die Theorbe. Das sind Instrumente aus wunderbarem Material, ihre Bäuche sind schwanger mit galanter Vergangenheit, Atem vom Hofe Karls des Vierten – des nachmaligen Ludwig des Elften – haftet ihnen an, von Fransenköpfen und Zaddelärmeln, unter denen das tödliche Stilett des Musikanten so locker saß wie das Lied in seiner Kehle. Aber das sind Sentimentalitäten. Was kümmert mich schließlich in meiner Nacht die Vergangenheit des Raums, in dem ein solch unscheinbarer Akt wie meine Schläferung sich vollzieht! Hier liege ich, warm und wohlgeborgen, während draußen die Zeit wie ein sanfter aber unablässiger Wind vorbeirauscht – die Nacht ist der Zeit bessere Hälfte! – und mich von allem Ballast, den sie mit sich treibt, ungeschoren läßt. Aus meinem Platz im Holz betrachtet ist jeder Punkt, Vergangenheit oder Zukunft, von der Ewigkeit gleich weit entfernt, da soll es nichts geben, was mich schwindlig macht.

Dazu kommt eine praktische Erwägung. Auch beim Schlaf, wie überall wo es sich letzten Endes um nichts besseres als um eine körperliche Funktion handelt, muß man praktisch denken. Wie sollte ich im runden Bauch einer Laute liegen, dessen Schwerpunkt sich je nach meiner Lage verlagert? Sollte ich, wie ein hilfloser Körper im Eingeweide eines schlingernden Schiffes mich in ihm hin und herwerfen, so daß meine Griffe von unten in die Saiten Griff des Zufalls und der Willkür sind? Nein, eben dem Zufall und der Willkür will ich mich ja durch Schlaf entziehen! Lieber also zwischen den Hölzern eines weniger edlen Instrumentes eingekeilt liegen, im Vertrauen darauf, daß die Nacht, die große Ausgleicherin, auch diesen, an sich geringen, Adelsunterschied ausgleiche.

Ich hoffe auf eine dunkle Nacht. Anfangs droht noch der Mond zu scheinen, aber der soll mich nicht erreichen. Ich kann ihn nicht brauchen, diesen leblosen Gegenstand, der nichts verzaubert, den – im Gegenteil – wir stets zu verzaubern trachteten, bis uns endlich die Vergeblichkeit einer solchen Betrachtung beschämend eingeleuchtet hat. Meine Gitarre wird so auf dem Tisch stehen, daß kein Licht sie erreicht. Daß die Kegel aus den drei hohen Fenstern auf den Boden strömen und sich im Glitzern des Parketts zerstäuben. Und so werde ich seinen Untergang erwarten: er erfolgt um elf Uhr zweiundzwanzig. Dann wird es dunkel. Freilich, auch die dunkelste Nacht hat ihre helleren Minuten, Stellen, an denen sie von Verbrauch fadenscheinig geworden ist, kleine Fehler auch in der Dichte ihres Gewebes, die schon Copernicus irritierten. Aber es steht zu hoffen, daß kein wirkliches Hindernis den ruhigen Verlauf meiner Nacht störe. Und sollte wirklich einmal im Zuge des dunklen Dunkels ein Streifen helleren Dunkels vorbeiziehen, so werde ich ihm die Augen verschließen. Auch das soll mich nicht aus dem Gleichgewicht bringen.

Bin ich allein? Ja, in meiner Gitarre bin ich allein, aber der Raum, in dem sie steht, darf nicht menschenleer sein. Ein menschenleerer, dabei möblierter Raum – und sei er auch nur mit einem Tisch, einer Gitarre und drei Fensterbänken möbliert – hätte zu bedeuten, daß Leute ihn verlassen haben, die jeden Augenblick zurückkehren mögen. Daß das Rauschen der Nacht sich jeden Augenblick unverhörens zu einem Geräusch verdichten, anwachsen, schwellen und die Wiederkehr eines Bewohners ankündigen mag. Es hätte zu bedeuten, daß Andere da sind, deren Abwesenheit nur momentan ist und sich daher als eine besondere, penetrante Art der Gegenwärtigkeit schlafstörend und beunruhigend bemerkbar

macht. Ich muß meine Nacht behutsam bevölkern, den Raum mit ein paar stummen Zeugen beleben, Statisten der Nacht und Hüter meines Schlafs.
Dazu kommt wieder eine Erwägung, die das Körperliche betrifft. Meine Hände sind zerbrochen, auch sie hat die Zeit auf ihrem riesigen Gewissen. Ich muß damit rechnen, daß, wenn Schlaf mich berührt, meine Finger auch den einen Griff, der mir geblieben ist, nicht mehr recht fassen, daß ich mich noch kurz vor dem Ziel meiner mühevollen Vorbereitung in Ärger und damit in eine ruhefeindliche Erregung steigere, die jeglichen Gedanken an Schlaf verscheucht. Dann wäre alles zunichte, und ich säße in einem Instrument ohne Musik. Hier muß ich mich sichern. Es müssen Zeugen da sein, Wächter, die zur Not selbst in die Saiten greifen. Unsichtbare Spieler oder – viel, viel besser noch – Spielerinnen, die meiner Musik ein Echo werfen, wenn ich, vom Schlaf übermannt, aber eben noch nicht schlafend, meine Hand von den Saiten gleiten lasse. Ich werde sie in den Nischen unter den Fenstern placieren, auf den Bänkchen sollen sie sitzen, mit Instrumenten. Von dort werden sie meinen Schlaf bewachen, aber nicht wie Brangäne, die Nacht nach ihren Gefahren absuchend, sondern in sich gekehrt, jede in ihrer nächtlichen Eigenwelt befangen.
Nach diesen drei Figuren habe ich das Haus abgesucht. Ich betrieb die Suche mit System. Um mir keine Nachlässigkeit vorwerfen zu müssen, begann ich tatsächlich mit dem Keller. Aber dort war, wie ich erwartet hatte, nichts Brauchbares zu finden. Im Keller sitzen auf den kalten Kohlen die Parzen und parzenähnliche Gestalten,

mit schwarzverhüllten Köpfen – oder, wenn man so will: Häuptern – und warten auf einen billigen Transport in eine noch endgültigere und bessere Ewigkeit als die Ewigkeit des Kellers, obgleich sie an sich keine bessere verdient haben. Manche unter ihnen summen gar noch eine Melodie, die ich als den Gefangenenchor aus »Fidelio« erkannte. Auch sitzen da die Mütter, jene Mütter, vor denen schon ein Faust mit Recht zurückschreckte, sitzen da, mit zerknüllten Taschentüchern voller kostbarer Tränen, ihr einziges Gut, außer dem Gut, das sie verlassen mußten und das daher noch kostbarer geworden ist. Mit denen kann ich schon gar nichts anfangen, vor allem nicht mit den Heroischen, die an ihrer knöchernen Dürre und ihrer heldischen Haltung zu erkennen sind. Da hocken sie im Kreis, zwischen ihnen ein am Grabmal des unbekannten Soldaten niemals niedergelegter Lorbeerkranz. Er ist – was diese Mütter niemals wissen dürften – aus Lübecker Marzipan, ist aber völlig versteinert, die Bänder sind zerfranst und von Spinnen zerfressen, von denen es hier zahlreiche gibt, vornehmlich Weberknechte. Und was noch? Abseits, über einem Kindertisch, sitzt ein greiser Schulrat, er schreibt an einer mehrbändigen Geschichte der Zukunft. Sein Bart ist durch den Kindertisch gewachsen. Nein, hier war nun wahrhaftig nichts zu holen!

Das Erdgeschoß konnte ich auslassen. Es besteht aus nichts anderem als eben dem dreifenstrigen, rechteckigen Raum, in dem ich die Schläferung plane. Er ist vorbereitet, geräumt, abgestaubt, das Parkett ist gebohnert, das Messing poliert, nichts kann sich in Nischen oder Ritzen verbergen.

Ich ging also in das obere Stockwerk. Die gedrechselte Balustrade war ehemals weiß, heute ist sie elfenbeinfarben, und an einer bestimmten Stelle knarrt sie. Dort nämlich, wo meine damals junge, heute noch soldatisch-jugendliche Schwester sich in jähem Todeswunsch ins Parterre stürzte und mit dem Sturz den Todeswunsch überwunden hat. Sie ist heute Mutter von vier Kindern.
In den oberen Räumen stehen ererbte Uhren, sonst nichts. Hier habe ich stets wohltuende Leere zu wahren gewußt, damit ich nicht zu erschrecken brauche, wenn ich eine Tür öffne und einen Raum betrete. Die Leere ist nicht die furchterregende Leere eines Hauses, das vor der Besitzergreifung und damit der Möblierung steht, sondern vielmehr die Leere eines Hauses, das Bewohntheit und Möbilierung hinter sich hat. Es ist gereift, hat das Grauen der Gemütlichkeit abgetan und darf nun dem ruhigeren Rest der Zukunft entgegensehen. Im letzten Raum aber, da steht eine kupferbeschlagene Holztruhe. Darin liegen, in duftigen Tüll mit Spitzen und Schleiern gehüllt, die irdischen Reste einer früh verstorbenen Tante, der jüngsten Schwester meiner Mutter. Von ihr ist wenig mehr übriggeblieben als ein Lächeln, das der Tod traf, als es vorüberhuschte. Ihr sei viel erspart geblieben, haben die Leute damals gesagt, womit sie wahrscheinlich nicht nur die Rippenresektion meinten – meine Tante war, wie so vieles Liebliche von damals, lungenkrank und stand kurz vor dem Messer –, sondern auch die allgemeine bange Zukunft, inzwischen Vergangenheit. Denn je früher man stirbt, desto mehr bleibt einem erspart, das ist die simple Rechnung der Volksweisheit, die damit den vielen, aber immer weniger

werdenden Ungeborenen das große Glück zumißt. – Wie dem auch sei, hier ist niemand, den ich als Zeugen meiner Schläferung brauchen kann.
So öffne ich die Speichertür und steige, mit schwindender Hoffnung, die Treppe zum Dachboden empor, zu dem Treibgut, das die Zeit in Wellen unters Dach schwemmt. Mit jedem Schritt wird es dumpfer und wärmer. Wärme, die sich in vielen Sommern aufgespeichert und niemals verflüchtigt hat.
Hier gibt es viel. Noch halb auf der Treppe steht ein Pilot, als sei er soeben erst heraufgetragen worden und habe den rechten Platz noch nicht gefunden. Sein Gesicht steckt unter einem Helm aus mehreren Schichten von Glas, zwischen denen kleine Fische schwimmen und Sauerstoff absondern. Neben ihm steht eine Ritterrüstung, die schon immer hier stand, hinter der ich bis zu meinem fünften Lebensjahr einen Urahn vermutete, der im Kochertal Handelsherrn auflauerte, sie beraubte, eigenhändig kastrierte und als Eunuchen an östliche Höfe verkaufte. Heute aber weiß ich, daß hinter dieser Rüstung etwas lange nicht so Schätzenswertes steckt, sondern ein bewährter Staatsminister in lang ergrauter Weste, mit Zwicker und Vatermörder, um den Hals den Malteserorden und einen Rosenkranz, den Fleißstempel auf der Stirn und am Aufschlag eine Medaille für Zivilcourage, verliehen vom Amt für öffentliche Auszeichnung, ein Diener vieler Diener vieler Systeme, bevor er hier in den letzten aufrechten Ruhestand trat. Ein wenig weiter im Raum, in einem von Staub tanzenden Lichtstrahl, steht die rädrige, gußeiserne Nähmaschine, daran sitzt die donnerstägliche Flickschneiderin, über langer,

vergeblicher Liebe schon zu Lebzeiten bucklig geworden, dennoch immer voller Lieder von heiterer Fassung. Steif ist sie, zu einer Statue der Entsagung galvanisiert, eins geworden mit dem Guß des Gestells, jenseits allen Schlafes, toter als tot, ein Denkmal.

Das alles ist nicht sehr ermutigend. Ich sehe schon, daß ich tiefer werde greifen müssen. Dennoch gehe ich weiter. An einem schrägen Stützbalken lehnt ein Cello als sei es nur kurz abgelegt, als kehre sein Spieler sogleich wieder. Für einen Augenblick nur ergreift mich der Gedanke, ob ich nicht in diesem Instrument schlafen solle. Es bietet mehr Platz, wirkt schlaffördernd – wie oft hat es im Konzert meinen Schlaf gefördert! –, seine Wölbung lädt zur Ruhe ein, sie beschreibt ein Adagio. Aber ich muß weiter denken, an Schlaf denken, bedeutet weit denken, und so verwerfe ich das Cello. Gewiß, die Zarge ist schön breit, mein Rückgrat würde es sich wünschen, seine Rundung mitzuvollziehen, aber beim Gesäß trennten sich die Körper. Denn dort wo die Taille des Instruments sich zum Steg verengt, biegen sich zwei doppelte Zacken einwärts, und wenn ich meine Oberschenkel anwinkle und die Kniekehlen um die Zacke lege, ragen meine Unterschenkel hilflos aufwärts. Das ist unbequem. Und wer soll das Instrument spielen? Ich kann nicht durch die Enge des F-Loches auch noch einen Bogen führen, und führte ein anderer den Bogen, so wäre ich das doppelte Opfer des Spielers und des Stükkes. Ein Pianissimo prickelte, und ein Forte wäre ein dröhnendes Inferno. Nun sehe ich auch, daß dort drinnen schon einer schläft. Es ist Pablo Casals, der einst berühmte Cellist. Sein Atem geht schon ein wenig rasselnd, aber ruhig; das Herz, sein wertvollster Teil, arbeitet aber wie eh und je. Ein Kranz von Gänseblümchen liegt leicht über der Glatze des wackeren Katalanen, dem seine Ruhe gegönnt sei. Er hat sie sich redlich verdient.

Dicht hinter dem Cello sitzt, schief gegen die Wand gelehnt, Albert Schweitzer. Der Tropenhelm ist ihm tief ins Gesicht gerutscht, wird aber durch den Schnauzbart, in dem der Rest einer Urwaldmahlzeit nistet, vom Fallen bewahrt. Er schläft und scheint schon dort zu sein, wo im Schlaf bärbeißiges Alter und Trunkenheit dieselben Symptome aufweisen.

Mißmutig beschließe ich, hier nicht länger zu suchen. Meine drei nächtlichen Helferinnen muß ich mir doch wohl aus anderen Regionen holen. Ich muß den Schritt hinaus aus dem Raum, hinein in die Zeit tun und in ihr, sie überholend, zurückgehen.

In der Zeit habe ich mir meine drei Wächterinnen noch einholen können. Die Wahl war nicht ganz leicht, denn es galt, alle Eigenschaften in Betracht zu ziehen, alles von der Seele über den Körper bis zu den Fingerspitzen, und diese ganz besonders: den seismographischen Zeigern der Seele und gleichzeitig indiskret-beweglichen Ausläufern des Körpers, die in meinem Fall auch noch ein paar vergessene Griffe in die Saiten beherrschen müssen.

Die Erste ist Mona Lisa. Auf den ersten Blick schien sie mir unerwartet viele Bedingungen zu erfüllen. Auf den zweiten, tieferen aber nüchterneren Blick sah es dann so aus, als erfülle sie keine einzige. Erst auf den dritten Blick, der das Erblickte stets durchdringen sollte, erkannte ich, daß sie meiner Anforderung entspreche. Mir stand da weniger die Sicht des großen Leonardo im Weg als der schmutzig-grünliche Zustand seines Bildes, der dem Modell mißgünstig ist. Freilich: auch das Modell hat manches befremdliche. Daß es keine Augenbrauen hat und nur mit der linken Mundhälfte lächelt, daran stoße ich mich nicht. Es war eine Dame, und zu ihrer Zeit hatten nur Marktweiber Augenbrauen, und nur Kurtisanen lächelten mit beiden Mundhälften. Was ein wenig schwerer wiegen mag, ist der Ausdruck einer flüchtigen aber stets gegenwärtigen Idiotie, der hinter diesem Antlitz lauert. Heute ist bekannt, daß die Gioconda in der Tat Perioden des Schwachsinns erfuhr. Dieser Umstand gab ihr in den Augen der Mitwelt die Aura jenes Geheimnisses, dessen Walten der gutwillige Liebhaber ihres Abbildes noch heute zu verspüren meint. Mich selbst berührt dieses Geheimnis wenig, aber ich sehe auch in seiner Ursache kein Fehl. Ich bin es mir und meinem Schlaf schuldig, eine meiner drei Fensterbänke mit einer Florentinerin zu besetzen, und wer ist mehr Florentinerin als die Gioconda? Sie hat eine edle Haltung, zudem beherrscht sie das Schweigen, und das ist es, was ich brauche. Ihre Hände sind weich, als hätte man ihr als Kind die Knöchel zerknetet, aber ein paar Griffe auf der Laute beherrscht sie, das weiß ich. Ein junger Maler hat sie ihr beigebracht, als sie noch Lisa Gherardini hieß, und sie hätte gewünscht, daß er ihr noch mehr beibringe, aber er empfand nichts für das andere Geschlecht. Später wurde er, nachdem er einen Nebenbuhler in der Gunst des Papstes hatte beseitigen lassen, Kardinal, aber das steht auf einem anderen Blatt. Auch ein paar Lieder beherrscht sie, die Mona Lisa. Ihre

alte Amme aus Urbino, die schon die Amme ihrer Mutter war, hat sie ihr an der Wiege gesungen, und sie pflegt sie vornehmlich dann angstvoll anzustimmen, wenn ihr nach Häuten und Leder riechender Viehhändlergatte Miene macht, sich ihr zärtlich zu nähern. Es sind simple Lieder, Lieder, deren Klang sanft durch Raumfluchten streift, man hört ihn über den Fluß und durch die Gassen. Das schläfert wie sonst nichts. Höre einem zu, der hinter vielen Straßen singt und dabei ein Saiteninstrument anschlägt, und schon verspürst du den Wunsch, nichts anderes zu tun als zu schlafen. Und daher brauche ich die Gioconda, übertragen in das Bild meiner Nacht in meiner Gitarre.
Die zweite Wächterin konnte ich aus dem Leben greifen, und das tat ich ohne Zögern. Denn das ist Schwester Antonia. Der Leser kennt sie nicht, wird sie auch niemals kennen lernen, und ich will versuchen, ihm dieses Versäumnis nicht allzu schmerzlich vor Augen zu führen. Mit der Gioconda hat sie nichts gemein als eine südliche Herkunft und den entsprechenden Klang des Namens. Suor Antonia. Das Edle, Elfenbeinerne fehlt ihr völlig, sie ist ganz Materie, schwere Masse, dort wo Mona Lisa schlanke Erscheinung ist. Schwester Antonia weiß nichts von der Mona Lisa, hat wohl auch noch nie von Leonardo gehört, und das Wort Renaissance wäre für sie vermutlich gleichbedeutend mit Auferstehung, und zwar einzig und allein der des Herrn, ihres Herrn, nicht des meinen, ich habe keinen Herrn. Ich kenne sie gut. Sie hat mich gepflegt, als ich krank war, und indem ich ihr hier eine Rolle als gleichberechtigte Partnerin zweier großer Damen aus der Zeit zumesse, danke ich ihr für

die liebevolle Pflege, wenn es auch keineswegs nur Dankbarkeit ist, was mich zu dieser Wahl verleitet. Ich bin in meinem Leben von vielen Leuten gut behandelt worden, die ich jedoch niemals zu Wächtern über meinen Schlaf machen würde.

Suor Antonia ist dick und sehr breit –, wie dick und breit, das läßt sich unter den vielen Ellen von grobem schwarzem Kattun und gestärkten weißen Leinen nicht feststellen, dem weitschweifigen Habit der Vincentinerin. Auch ihre Kopfform ist ein tiefverborgenes Geheimnis, hinter dem vielfaltigen Segel von Schleier und Haube, das ihren Blick geradeaus lenkt. Nackt gibt es sie nicht, schon das Wort »Körper« ist, für sie angewandt, eine Blasphemie. Sie kennt wenig außer ihrem winzigen Geburtsort, der Surava heißt, und dem nicht viel größeren Ort, wo das Spital steht. Dort kennt sie ihre Oberin, ihre Schwestern im Orden und ihren Beichtvater – was mag sie zu beichten haben? –, den Rosenkranz unter den Falten ihrer Röcke, das Inventar des Spitals und ihre Kranken, die, selbst wenn sie genesen, für sie krank bleiben und erst endgültig gesund werden, wenn sie gestorben sind. Ja, sie hegt ein taktvoll verhaltenes Mitleid für alle, die sich schon im Diesseits eingerichtet haben. Sie selbst, an Körper zwar gesund und damit dem Diesseits gehörig, weiß ihre Seele schon im Jenseits zuhause. Dort wird sie dann allen Tand ablegen, den sie hier noch mit sich trägt, vor allem ihre dicken schwarzen Wollstrümpfe, die sie in freien Stunden selbst stopfen muß, wie eine Büßerin. Als sie noch jung war, erschien ihr diese Arbeit als die Essenz aller irdischer Müßigkeit, aber der Sturm in ihr hat sich lange zur Ruhe gelegt,

und nun weiß sie alles Allzu-Irdische mit Gebet zu bedecken.
Sie ist braun von Angesicht, die Hände sind rot und grob, sie wissen Bettflaschen und Nachtstuhl zu handhaben, niemals aber die Griffe der Gitarre meiner Nacht. Sie wird also nicht einspringen können, wenn meine zerbrochenen Hände versagen oder im Schlaf zurückfallen. Da müssen denn die anderen beiden Wächterinnen herhalten. Sie wird dann an ihrem Fenster sitzen, freundlich-unverwandt ihre beiden Schwestern in der Schläferung ansehen, an Gott denken und an ihren schwarzen Wollstrümpfen stopfen, die sie mitbringen muß, damit sie nicht müßig sitze. Einschlafen darf sie nicht, sie nicht. Aber sie wird es auch gar nicht wollen. Ich brauche sie wach, wie ich da in meiner Gitarre liege, brauche sie wie ein banger blasser Knabe seine Negerkinderfrau, die, wenn sie rechtzeitig angesetzt wird, bewirken mag, daß er sich später nie mehr vor der Dunkelheit fürchtet. Es ist nicht, daß ich mich vor der Dunkelheit fürchte, nein, das Kind im Manne habe ich längst überwunden. Dieses Kind ist auch nicht etwa ein Rest der Kindheit, nein, es wächst vielmehr mit zunehmendem Alter und der damit zunehmenden Angst vor der Spanne, die dem Mann noch bleibt, und vor dem, was nach dieser Spanne kommen mag. Ich habe keine Angst vor irgendwelchen Spannen, denn ich betrete meine Gitarre. Und wenn ich auch selbst nicht glaube, daß noch irgendetwas kommt, so will ich doch Antonia in der Nähe haben, die es nicht zu glauben braucht, weil sie es weiß, mit ihrer ganzen Seele weiß. Dies ist ihre große Rolle im Prozeß meiner Schläferung.

Aber Lisa und Antonia reichen noch nicht aus. Alle drei Fenster müssen besetzt sein. Zudem muß ich dem geringen Element, das die beiden ersten gemeinsam haben, dem Südlichen, durch etwas anderes, ihm fremdes, entgegenwirken, damit es keine stimmungsbedingte und damit falsche Seligkeit aufkommen lasse. Ich will nicht schwelgen, schlafen will ich. Und daher habe ich mich – nach anfänglichem Zögern, aber dann mit zunehmender Überzeugung – für Maria Stuart entschieden.

Es handelt sich um die mittlere Maria Stuart. Ich greife sie aus den drei Monaten zwischen Lord Darnley, dem zweiten Gemahl und Mörder ihres Sekretärs Rizzio, und Lord Bothwell, dem dritten Gemahl und Mörder des zweiten Gemahls. Es ist gegen Abend, ihr Tagewerk ist getan: sie hat achtundzwanzig Briefe geschrieben, davon sieben an Königin Elisabeth, und damit ein Stückchen an ihrer Legende gewoben. Träumend von Verwirklichungen ihrer Leidenschaft und ihres fruchtlosen Ehrgeizes, Eigenschaften, die ihr selten ein Lächeln erlauben, sitzt sie mit ihrer Theorbe in meinem Raum, auf dem Fensterbänkchen, das in diesem Falle zu einem Stuhl am Fenster ihres intimen, holzgetäfelten Kabinetts in Schloß Holyrood wird, oder auch in Schloß Dunbar oder Schloß Stirling, in jedem Schlosse aber sitzt sie unter samtenem Behang, unter gestickten, golddurchwirkten Wappen, neben einem Kamin, in dessen Fugen sich der Grind finsterster Geschichte gesammelt hat und noch sammeln wird. Sie blickt hinaus über endlose schottische Nadelwälder, die nicht zu erkennen geben, in welchem der drei Schlösser sie sitzt.

Was träumt sie? Jedenfalls sind es Träume, die Schwester Antonia fremd sind, die vielleicht eine Mona Lisa nachempfinden könnte, wäre sie mit den Vorbedingungen vertraut. Sie träumt vielleicht von Bothwell, den sie liebt, aber nicht so liebt, daß sie nicht auch ihn umbringen würde, wenn sie ihn nicht mehr liebt. Dazwischen schlägt sie einen Akkord an, sagen wir: a-h-d-cis- und die Gedanken schweifen weiter: wer wird dann sein Mörder sein? Ein zukünftiger Gemahl? – g-fis-c-g – es müßte in aller Stille vollzogen werden: am besten Gift. Aber darauf haben ja diese Protestanten nur gelauert! – gis-a-h-f – nun, es hat noch Zeit, so weit ist es noch nicht, vorläufig kann sie ohne ihn nicht leben, – g-fis – –
So sitzt sie da, mit ihren Griffen und Gedanken, die sie schon in ihrer Kindheit am französischen Hof gelernt hat, und die meinen Schlaf fördern werden, denn es sind gesühnte Griffe und Gedanken: nicht umsonst habe ich so weit in die Zeit zurückgreifen müssen. Sie sitzt, in Mühlsteinkragen, Ärmelpuffen, Wespentaille, in einer Marlotte aus Samt und Brokat, am Busen ein goldenes Kreuz, an dem sie oft in Gedanken lutscht, eine gestickte Haube auf dem dunklen Haar, das zu ihrem dauernden, lähmenden Entsetzen bereits beginnt, schütter zu werden, immer schütterer, bis eines Tages – aber das weiß sie noch nicht, und während sie meiner Schläferung beiwohnt, weiß sie es nicht mehr – ihre Perücke in den Staub fällt und ihr Haupt kahlköpfig vom Schafott auf den Boden rollt, von den Henkern mit gezogenen Baretts und in peinlichem Schweigen bestaunt und laut bekläfft von ihrem Schloßhündchen, das aus den Röcken

des kopflosen Körpers hervorhüpft, in die es sich während der Hinrichtung verbissen hat. Aber auch das kümmert mich nicht mehr. Auch Schwester Antonia wäre, nähme man sie hüllenlos – wie Gott sie geschaffen hat, wenn auch nicht wie er sie hat wachsen lassen – kahl. Dafür hat die Gioconda glattes, weiches Haar, morbido. – Diese drei Figuren sind es denn also, die in den Fenstern sitzen, heute nacht. Aus diesen drei Körpern habe ich mir den Geist gebaut, der meinen Raum beherrschen soll. Ruhig liege ich im Schoße dieses Geistes, dem ich mich schlafsuchend anvertraut habe. Und wenn auch Schwachsinn und Mord in ihm verwoben sind, so atmet er dennoch nicht den widerlichen Atem jener Mörder und Schwachsinnigen, deren Gegenwart mich dazu bewegt, in meiner Gitarre den langen Schlaf zu tun. Ich liege im süßen Holz der Gitarre, im dunklen Raum, im Resonanzkörper, in guter, gesunder Trockenheit, in der Nacht, entspannt, hingestreckt, mit dem Körper Rundungen nachfahrend, wie ein großes waagrechtes S, das Gefäß am tiefsten, als sinke ich vom Mittelpunkt der Erde angesogen diesem Mittelpunkt rücklings zu, hingegeben meinem eigenen angeschlagenen Klang, auf den ich die Saiten gestimmt habe. Und wenn ich den Griff nicht mehr zu fassen bekomme, wenn meine Hand außen am Dach entlang zurücksinkt, dann werden zwei meiner drei Wächterinnen auf ihren Instrumenten präludierend das Wechselspiel aufnehmen, bis ich schlafe, und darüber hinaus, während die dritte, durch nichts abgelenkt als durch ihren Gott, der nicht der meine ist, meinen Schlaf bewacht, über ihn hinaus wacht und stopft, immer stopft.

Da liege ich und schlage meinen Akkord an, warte eine Fermate lang, höre auf das seidige Rauschen der Gioconda, das gestärkte Knistern Maria Stuarts. Schwester Antonia höre ich nicht, sie stopft. Im Hause ist es still, nur die Nacht draußen rauscht. Oben die Uhren sind stehen geblieben. Ich brauche sie nicht, denn was sich hier vollzieht, vollzieht sich nicht mehr in der Zeit. Zeit? Wie sollte der Morgen aussehen, nach einer solchen Nacht? Soll ich die Saiten anheben, und aus der Schallrose klettern, mir die Augen reiben und mich im hellen Raum umsehen, wie einer, der auf dem Mond gelandet ist und feststellt, daß er der Erde ähnlich ist? Soll ich die Saiten zurückschnellen lassen und aussteigen, um mich einem Tag gegenüberzusehen, der meine kostbaren Kombinationen zunichte macht, als hätte ich mir nicht mühevoll eine Nacht aufgebaut?
Nein. Hier liege ich, hier bleibe ich. Hier schlage ich meinen Akkord an, bis meine Hand außen am Holz hinabsinkt, und dann –
lausche ich, beinah aber noch nicht ganz im Schlaf, den Akkorden der Wächterinnen, der Dame mit dem leicht schwachsinnigen Lächeln, deren spitze Fingerkuppen sich zwischen den Griffen auf das Holz legen, höre das Knacken der Gelenke, wenn die königliche Mörderin das Griffbrett umspannt, da liegt feine Haut auf feinem Holz. Ich höre einem Wechselgesang zu, der nicht erklingt, einem nicht gesungenen, kaum erinnerten, nur vage gedachten Lied, das sich selbst singt. Es singt sich in der Florentinerin Ferne und in der Ferne der Schottin, und von der Querwand herüber höre ich das Schweigen der Vincentinerin, wie sie am Strumpf Gottes stopft.

Noch einmal, in einem schläfrig-jähen Versuch schlenkert meine Hand über die Saiten, dann wischt sie an der Außenwand des Instrumentes hinab, über sein zerbrochenes Holz und bleibt, einmal noch hin und her pendelnd, an ihrem Gelenk hängen. Die Griffe der Spielerinnen werden leiser, die Fermaten länger, die Melodie schwingt unhörbar im Zwischenraum. Fast schlafend spiele ich im beginnenden Traum noch mit, vollziehe im Geist ihre Griffe, da ich meinen einen jetzt vergessen habe, auf ihm liegt die Nacht. Ich horche, wie die Finger meiner Wächterinnen, die soeben noch Metallsaiten griffen und vielleicht noch immer greifen, aber nicht mehr zum Schwingen bringen, sich allmählich, einer nach dem zögernden anderen, sachte klopfend, dann nur noch tastend auf die Körper legen, auf das dünne Dach, unter deren einem auch ich, Ohr am Holz, liege, –
höre, wie die Fingerkuppen am Holz haften bleiben, dann, kaum noch auf dem Holz, kaum über die Fläche streifend, abwärts rutschen, zwischen Saiten und Holz, dann zwischen Holz und Nacht, und dann in der Nacht für ewig hängenbleiben, –
Während Antonia wacht und ewig Wolle stopft. Ich liege innen, außen wacht Eine und stopft, zwei Andere schlafen zwei verschiedene Schläfe, –
und ich drinnen sinke in meinen eigenen Schlaf und schlafe –
unter den süßen Saiten
im verwunderten Holz.

Inhalt

Bibliothek Suhrkamp

120 Ernst Bloch, Verfremdungen II. Geographica. *Essays*
121 William Golding, Die Erben. *Roman*
122 Saint-John Perse, Winde. *Gedichte. Zweisprachig*
123 Miroslav Krleža, Beisetzung in Theresienburg. *Erzählung*
124 Italo Calvino, Erzählungen
125 Daniel Watton, Der Feldzugsplan. *Roman*
126 Jaroslaw Iwaszkiewicz, Der Höhenflug. *Erzählung*
127 Jurij Olescha, Neid. *Roman*
128 Virginia Woolf, Die Wellen. *Roman*
130 T. S. Eliot, Gedichte. *Zweisprachig*
131 Sigmund Freud, Der Mann Moses. *Drei Essays*
132 William Goyen, Savata. *Roman*
133 Ramón José Sender, Requiem für einen spanischen Landmann
134 Claude Simon, Das Seil. *Roman*
135 Günter Eich, In anderen Sprachen. *Vier Hörspiele*
136 Elio Vittorini, Die rote Nelke. *Roman*
137 Yasushi Inoue, Das Jagdgewehr. *Roman*
139 Maurice Blanchot, Warten Vergessen. *Ein Bericht*
140 Bertolt Brecht, Dialoge aus dem Messingkauf
141 Karl Kraus, Sprüche und Widersprüche. *Aphorismen*
142 Alain-Fournier, Der große Meaulnes. *Roman*
143 Knut Hamsun, Hunger. *Roman*
145 Nathalie Sarraute, Martereau. *Roman*
146 Theodor W. Adorno, Noten zur Literatur III
147 Raymond Radiguet, Den Teufel im Leib. *Roman*
148 Raymond Queneau, Stilübungen
149 Arthur Schnitzler, Erzählungen
150 Wladimir Majakovskij, Frühe Gedichte
151 Oskar Loerke, Essays über Lyrik
152 Isaak Babel, Budjonnys Reiterarmee. *Erzählungen*
153 Gunnar Ekelöf, Spaziergänge und Ausflüge. *Erzählungen*
154 G. B. Shaw, Vorwort für Politiker
155 Paul Valéry, Die fixe Idee
156 Tudor Arghezi, Kleine Prosa
158 Herbert Marcuse, Triebstruktur und Gesellschaft
159 Marguerite Duras, Die Verzückung der Lol V. Stein
160 Carlo Emilio Gadda, Erzählungen

161 Nelly Sachs, Späte Gedichte
162 Paul Valéry, Herr Teste
163 Stanislaw Witkiewicz, Das Wasserhuhn. Narr und Nonne
165 Joseph Roth, Das falsche Gewicht
166 Tage Aurell, Martina. *Erzählung*
167 Sherwood Anderson, Dunkles Lachen. *Roman*
168 Slavko Kolar, Das Narrenhaus. *Erzählung*
169 Tarjei Vesaas, Nachtwache. *Roman*
170 Georges Poulet, Marcel Proust. *Essays*
171 Jean Cocteau, Kinder der Nacht. *Roman*
172 Carlos Droguett, Eloy. *Roman*
173 Hjalmar Söderberg, Doktor Glas. *Roman*
174 Hugo von Hofmannsthal, Gedichte und kleine Dramen
175 Jean-Paul Sartre, Die Kindheit eines Chefs. *Erzählung*
176 Witold Gombrowicz, Die Ratte. *Erzählungen*
177 Seumas O'Kelly, Das Grab des Webers. *Erzählung*
178 Jaroslaw Iwaszkiewicz, Heydenreich. Mephisto-Walzer
179 Georg Heym, Gedichte
181 Hermann Hesse, Der vierte Lebenslauf Josef Knechts. Zwei Fassungen
182 Wladimir Majakovskij, Politische Poesie
184 Rainer Maria Rilke, Ausgewählte Gedichte
185 Tommaso Landolfi, Erzählungen
186 Anna Seghers, Wiedereinführung der Sklaverei in Guadeloupe
188 Ivan Olbracht, Wunder mit Julka
190 Léon-Paul Fargue, Der Wanderer durch Paris
191 Wright Morris, Die gläserne Insel. *Roman*
192 Christian Branner, Erzählungen
193 Aimé Césaire, Zurück ins Land der Geburt. *Zweisprachig*
194 Italo Svevo, Vom guten alten Herrn und vom schönen Mädchen
195 J. M. Synge, Drei Stücke
197 Willy Kyrklund, Meister Ma
198 Henry Miller, Das Lächeln am Fuße der Leiter. *Erzählung*
199 Hermann Broch, Demeter. *Romanfragment*
200 James Joyce, Dubliner. *Kurzgeschichten*
201 Philippe Soupault, Der Neger. *Roman*
202 Gottfried Benn, Weinhaus Wolf
203 Veijo Meri, Der Töter und andere Erzählungen
204 Hermann Broch, Die Erzählungen der Magd Zerline
205 Jean-Jacques Mayoux, Joyce
206 Bertolt Brecht, Turandot
207 Leszek Kołakowski, Der Himmelsschlüssel